D0784891

Nous remercions le Conseil des Arts du Canada,
le ministère du Patrimoine canadien et la SODEC
de l'aide accordée à notre programme de publication.

Le Conseil des Arts du Canada depuis 1957 | The Canada Council for the Arts since 1957

Patrimoine canadien | Canadian Heritage

SODEC Québec

Logo de la collection :
Vincent Lauzon

Illustration de la couverture :
Odile Ouellet

Édition électronique :
Infographie DN

Dépôt légal : 2e trimestre 1998
Bibliothèque nationale du Canada
Bibliothèque nationale du Québec

123456789 IML 98

ISBN 2-89051-581-8
10876

Requiem gai

DU MÊME AUTEUR

AUX ÉDITIONS PIERRE TISSEYRE

Collection Papillon

Do, ré, mi, échec et mat! 1992.

Collection Faubourg St-Rock

Symphonie rock 'n' roll, 1991.
Concerto en noir et blanc, 1992.
Sonate pour un ange, 1994.
« Le manuscrit », in *Nouvelles du Faubourg* (recueil de nouvelles), 1995.
« Des sculptures d'idée », in *Ça fête au Faubourg* (recueil de nouvelles), 1997.

AUX ÉDITIONS HÉRITAGE

Le pays à l'envers, 1987.
Le pays du papier peint, 1988.
Bong! Bong! Bing! Bing! 1990.
Bouh, le fantôme, 1992.

Données de catalogage avant publication (Canada)

Lauzon, Vincent, 1969-

Requiem gai

(Collection Faubourg St-Rock ; 25)
Pour les jeunes.

ISBN 2-89051-581-8

I. Titre II. Collection

PS8573.A79R46 1998 jC843'.54 C95-940231-4
PS9573.A79R46 1998
PZ23.L38Re 1998

Vincent Lauzon

Requiem gai

Roman

ÉDITIONS
PIERRE TISSEYRE

5757, rue Cypihot, Saint-Laurent (Québec) H4S 1R3
Téléphone: (514) 334-2690 – Télécopieur: (514) 334-8395
http://ed.tisseyre.qc.ca
Courriel: info@éd.tisseyre.qc.ca

À ma Genevyève

« Je vous donne un commandement
nouveau : vous aimer les uns les autres ;
comme je vous ai aimés, aimez-vous
les uns les autres. À ceci tous reconnaîtront
que vous êtes mes disciples : si vous avez de
l'amour les uns pour les autres. »

Jean **13** 34-35

1
Hosanna in excelsis

Je me souviens d'avoir lu quelque part que les grands écrivains ne trouvent l'inspiration que dans la souffrance. Moi, j'ai le cœur qui cogne de bonheur et pourtant, ma tête bourdonne de tant d'idées que je n'arrive pas à tout coucher sur le papier. Les vers et les strophes papillonnent autour de moi, ils apparaissent spontanément puis se sauvent sans attendre mes doigts trop lents : pour chaque mot que je réussis à clouer dans la mémoire de mon ordinateur, deux autres s'écoulent entre les touches du clavier. Je suppose que cela prouve hors de tout doute que je ne suis pas un grand écrivain. Ce n'est pas très grave. Je préfère ne pas me faire d'illusions sur ma future carrière. Je me contenterai de demeurer un honnête scribouillard, et je laisse le prix Nobel aux poètes oniro-nihilistes hispano-égyptiens qui semblent le remporter année après année.

En attendant, je vais continuer de saisir l'inspiration au vol et d'écrire des poèmes à la gloire de mon bonheur. Quand ces textes seront publiés – après ma mort, sans doute, lorsque des chercheurs en littérature contemporaine iront fouiner dans les recoins de mon disque dur –, les historiens diront gravement : « Serge Brochu a composé ce cycle de poèmes à dix-huit ans, en l'honneur de son premier amour. »

Mon premier amour s'appelle Geneviève. Je ne la connais que depuis le début de l'année scolaire, mais ça me semble déjà le temps d'un âge géologique, car notre relation a évolué tout doucement, comme deux pics rocheux que la mer érode jusqu'à ne former qu'une seule falaise. On se prête des notes en classe, on étudie ensemble à la bibliothèque, on se découvre des goûts communs et un jour, sans qu'on comprenne ce qui s'est passé, on est amoureux. C'est plutôt surprenant.

Un observateur objectif dirait sûrement que Geneviève est mignonne, sans plus. Un peu ordinaire. Mais quand on est amoureux, l'objectivité, on s'en fout. Moi, je trouve Geneviève électrisante. Elle sent bon. Elle a de grands yeux verts qui ne clignent presque jamais. C'est très déconcertant. Sa bouche est toute mince, une ligne rose sous son nez. Ses cheveux sont châtains, ondulés et coupés aux épaules, et elle porte souvent un bandeau rouge sur le front. Elle est grande, mince – maigre, en fait – et sa poitrine est presque inexistante. Quand elle marche, elle donne l'impression d'être mal à l'aise, désarticulée, comme si elle ne contrôlait pas parfaitement ses membres trop longs. Cette manière pataude m'est tout à fait charmante. Ce manque de coordination est pourtant trompeur : Geneviève ne deviendra peut-être jamais ballerine, mais elle est imbattable au squash et au ballon-panier. Elle me bat, moi, systématiquement ; mais avec mon gabarit, ça n'a rien d'étonnant. Il faudrait vraiment que je maigrisse. Dieu sait que mon père me le rappelle souvent, et pas toujours avec le plus grand tact. Mais Geneviève m'a dit qu'elle n'avait rien contre les garçons, disons, bien en chair. Elle trouve que nous faisons contraste : esthétiquement, dit-elle, ça lui plaît. On s'équilibre, en somme.

Geneviève aime les longues conversations philosophiques, celles qui commencent par un débat sur la langue d'affichage et qui se terminent, inexplicablement et trois heures plus tard, sur l'existence de Dieu. Elle dit que c'est de notre âge, qu'il faut tout de suite se faire des opinions sur tout et n'importe quoi, car dans dix ans, coincés entre l'hypothèque et la facture d'électricité, nous n'aurons plus le temps de réfléchir. Elle ajoute même, cyniquement, qu'il faudra laisser la télé le faire à notre place. Elle me fait rire. Lorsque nous discutons, je dois toujours rester sur mes gardes et me concentrer : elle est dangereusement intelligente, elle perçoit instantanément les failles dans les raisonnements et se fait un plaisir de démolir en quelques phrases cinglantes toute affirmation un peu trop hardie. Pour elle, c'est un sport. Moi, j'ai toujours eu tendance à penser avec mon cœur et à parler un peu trop vite. Je suis parfois le digne fils de mon père. Geneviève me force à considérer ce que je vais dire avant d'ouvrir la bouche. Elle me force à réfléchir rapidement et efficacement. Je l'aime. Elle m'aime aussi, et tout est là.

Dans la vie, les déclarations d'amour ne se déroulent jamais comme dans les films ou les livres. Elles ne se déroulent même pas comme on se l'est imaginé pendant les jours et les semaines qui précèdent le moment où on se lance enfin. Et ce moment-là n'arrive jamais quand on s'y attend. Décidément. On a beau s'écrire un petit scénario dans la tête et se le répéter sans cesse jusqu'à le savoir par cœur, c'est inutile : l'occasion de déclamer ces mots appris ne se présentera pas. Les déclarations d'amour prennent toujours par surprise. On ne peut pas les préparer. C'est peu pratique, mais ce n'est pas désagréable.

Ce matin, pour Geneviève et moi, c'est ma moustache qui a précipité les événements. Depuis quelques mois, j'essaie de me faire pousser la barbe. Si j'en crois mes parents, ce n'est pas un succès. Mon père me répète que ça fait mauvais genre. Je paraphrase, évidemment : il ne le dit pas tout à fait comme ça ; il a tendance à s'exprimer en gros québécois de rue. Moi, je fais attention, je soigne mon français, surtout depuis que je suis au cégep. Quand on veut devenir écrivain, ces choses-là se mettent à compter. Enfin, je peux comprendre sa réticence : j'ai la pilosité faciale clairsemée, c'est indéniable. Mais depuis novembre, tout de même, mes trois ou quatre poils (taillés régulièrement et méticuleusement pour faire plus propre) ont eu le temps de se transformer en véritable barbe. Plus de doute possible. Je suis barbu.

J'étais à la cafétéria avec Geneviève, ce midi. Je buvais un Coke. À chaque gorgée, quelques gouttes perlaient sur le bord de ma moustache. Un homme dans cette condition doit réapprendre complètement à s'alimenter. Un peu gêné, je m'essuyais le plus discrètement possible, du bout du doigt, quand j'ai remarqué que ma compagne m'observait avec un sourire narquois.

— C'est plutôt agaçant, ai-je dit, embarrassé. Je ne m'habitue pas à cette moustache. Je n'aurais peut-être pas dû m'entêter à la laisser pousser.

J'ouvre ici une petite parenthèse. Il est clair que ce n'est pas exactement ce que j'ai dit. J'ai utilisé un français parlé, plus relâché. C'est normal. On ne parle pas comme on écrit, même si parfois je me prends à le souhaiter. Il me semble que la vie n'en serait que plus belle. Et dans ce journal, donc, je n'ai pas du tout l'intention de retranscrire à la virgule près des conversations qui se sont tenues en langage plus familier. Je tiens à maintenir un niveau de français littéraire. Qui sait si mon journal ne sera pas publié un jour? De plus, c'est un bon exercice pour mes futurs romans. Ce que je perds en réalisme, je le regagne largement en beauté. Je n'arrive pas à apprécier la tendance de certains auteurs québécois à porter aux nues notre joual. Je trouve qu'ils font fausse route. Si les écrivains ne donnent pas l'exemple, s'ils ne montrent pas aux gens la splendeur du bon français, qui le fera? Sûrement pas la télé. Et je referme la parenthèse.

— Je n'aurais peut-être pas dû m'entêter à la laisser pousser, ai-je donc hasardé.

Geneviève m'a dévisagé d'un œil critique. Elle a fait une moue moqueuse.

— Non… je trouve que ça te va bien. Ça te donne un petit air distingué.

— Peut-être, ai-je répliqué, badin, mais il faut avouer que ça a ses inconvénients… Je ne sais pas, moi, prenons l'amour, par exemple: ça ne doit pas être très agréable à embrasser.

Je ne sais pas pourquoi j'ai dit ça. Je faisais la conversation, voilà tout. Geneviève a eu un air étrange, puis elle s'est levée d'un bond et s'est précipitée dans mes bras en s'exclamant :

— Non, non ! Je l'aime, moi, ta moustache !

Et elle m'a embrassé avec fougue. J'ai vu dans ses yeux qu'elle était aussi surprise que moi, qu'elle avait agi sans réfléchir. Ce moment-là a été une révélation pour nous deux. Une seconde auparavant, nous n'étions que des amis, puis quand ses lèvres ont touché les miennes, tout avait changé.

— Je t'aime, ai-je murmuré quand j'ai retrouvé mon souffle.

— Moi aussi, a dit Geneviève.

Voilà. Ma première déclaration d'amour sera jusqu'à ma mort une anecdote qui fera rire les gens, une histoire de moustache. Mais ça ne fait rien. Je me souviendrai toujours de ma joie. On ne s'avoue jamais son amour sur le quai d'une gare, en attendant le train qui nous amènera à la guerre. Ces choses-là n'arrivent que dans les romans Harlequin. Geneviève et moi n'avons pas le temps de nous en attrister ; nous sommes trop occupés à vivre pour de vrai.

Mais c'est tout de même drôle que mon bonheur arrive en même temps qu'un événement plutôt triste. C'est tout de même drôle de tomber en amour deux jours après la dissolution définitive de Push-Poussez. Je me doutais bien que notre groupe n'allait pas durer éternellement; je crois que nous nous en doutions tous. Notre musique n'avait plus la même âme. Kim dit qu'elle n'en avait plus du tout. Mais je n'aurais pas cru que ça se terminerait aussi vite, aussi tristement. Vendredi, au vernissage de l'exposition d'Anne Marronnier, quand Alain a annoncé au micro que nous donnions notre dernier concert, j'ai senti mon cœur s'arrêter. Nous nous sommes tous mis à jouer, malgré le choc. Mais Kim n'a pas pu continuer. Elle s'est enfuie et Jessica a dû chanter à sa place. Alain faisait semblant d'être profondément concentré sur sa guitare – en réalité, il n'osait pas nous regarder. Après le concert, il a eu droit a une engueulade monstre de Jess et Dave. Benoit l'a traité de salaud et a tout simplement filé : il était trop préoccupé par son amie Fanie et sa mère. Moi, je n'ai presque rien dit. Je déteste les scènes, les confrontations, ça me rend malade. Alain a tout encaissé sans un mot, puis il s'est excusé en disant qu'on ne pourrait pas comprendre. Jess était au bord de l'apoplexie. Pendant un moment, j'ai cru qu'elle allait lui sauter à la gorge. J'ai rapatrié mes claviers de notre local de répétition, à l'entrepôt. Ils encombrent maintenant ma chambre, qui n'est pas très grande, mais mon père ne veut pas me laisser les installer au sous-sol. Je devrais peut-être les vendre ; Dieu sait que je n'aurai plus souvent l'occasion d'en jouer. Je n'ai pas la vocation de la musique, ce ne serait pas un gros sacrifice. Et on a toujours besoin d'argent. Mais quelque chose me retient encore... peut-être le souvenir des grands jours de Push-Poussez. Notre groupe n'aura vécu que dix-huit mois, mais il nous aura tous marqués.

Je serai triste de perdre ces gens de vue. Je vais continuer à fréquenter Dave, évidemment. Notre amitié date d'avant la formation de Push-Poussez. Et si je vois Dave, je verrai Jess aussi, par la force des choses. Mais les autres? Garder le contact ne sera pas facile. Nous avons tous nos vies distinctes – je dirais même disparates – surtout depuis que nous ne sommes plus tous à La Passerelle. Kim et Benoit seront pour toujours des amis « du bon vieux temps du *band,* ha ha ha, tu te souviens comme on se marrait? », mais nos rencontres vont s'espacer jusqu'à l'exception. Et Alain a tellement changé. C'est lui qui nous évite. Il croit faire pour le mieux: il est au cégep, il a une nouvelle copine, toute son existence se bouscule. Il a l'impression qu'il doit couper les ponts. C'est son droit. Mais je crois qu'il souffre beaucoup, presque autant que Kim, qui n'a plus personne maintenant. Elle aime tellement Alain. Elle est complètement désorientée. Je voudrais pouvoir faire quelque chose, la réconforter, mais je ne sais jamais quoi dire.

Quand j'avais neuf ans, mon meilleur ami s'appelait Richard. Je croyais qu'il serait mon ami pour toujours. Puis il a déménagé. Je ne l'ai plus jamais revu, mais j'ai de merveilleux souvenirs de lui. C'est ça, la vie. Des gens qui passent, des portes qui se ferment, et notre mémoire.

Push-Poussez n'est plus. C'est la fin d'une époque. Et maintenant, avec Geneviève, une autre commence.

2

Inter oves locum praesta

Ce soir, il m'est arrivé quelque chose de troublant. Geneviève et moi sommes allés prendre une bière avec cinq de ses vieux copains du secondaire.

— À Henri-Bourassa, nous étions inséparables ! s'est-elle exclamée avec bonne humeur. C'est d'ailleurs difficile de dire exactement pourquoi. Nous sommes tous très différents et nous ne faisions pas partie des mêmes groupes d'activités.

Nos intérêts sont vraiment éclectiques. Ça explique sûrement pourquoi nous nous sommes dispersés dans quatre cégeps.

Elle s'est tue quelques secondes, l'air d'aller farfouiller dans les recoins de sa mémoire. Nous étions chez elle, elle venait de sortir de la douche et se préparait pour notre soirée. Devant moi, d'abord nue, puis de plus en plus vêtue, sans arrêter de me parler, comme si de rien n'était. Geneviève n'est pas prude. Ses parents non plus, si on se fie à leur totale absence de réaction lorsqu'ils nous ont vus entrer tous deux dans la chambre de leur fille, puis en ressortir une demi-heure plus tard habillés tout à fait différemment.

○

Quand elle s'est changée ainsi devant moi pour la première fois, il y a déjà deux mois, je suis resté ébaubi. J'ai même détourné le regard, gêné et confus. J'étais horriblement embarrassé. Je croyais qu'elle voulait faire l'amour et je ne me sentais pas prêt. Je l'ai bien fait rire.

— Je ne suis pas prête non plus, quelle idée! s'est-elle esclaffée. Il y a à peine dix jours qu'on a compris qu'on s'aimait!

Quand elle riait, ses seins gigotaient devant mes yeux et j'avais un peu de difficulté à me concentrer sur ce qu'elle me disait.

— Mais tu... tu te déshabilles, ai-je bafouillé, et... et...

— Je me change, idiot ! Quand on se change, on se déshabille, puis on se rhabille. Je ne m'en tire pas mal, non ? Je le fais toute seule depuis que j'ai quatre ans.

J'ai souri spontanément. La situation me semblait si incongrue.

— Tout de même..., ai-je murmuré. Tu n'es pas gênée ?

— Enfin, Serge, nous avons tous les deux dix-huit ans. Et nous sommes amoureux. Nous sommes probablement l'exception. Deux vierges !

Elle a agrafé son soutien-gorge d'un geste sûr et précis. Les femmes sont étonnantes. La seule fois auparavant où j'ai tenté de défaire le soutien-gorge d'une fille, j'en ai été incapable. J'avais pourtant les yeux sur l'agrafe ! Les hommes ne réalisent pas la chance qu'ils ont de ne pas devoir porter un tel sous-vêtement. On ne compterait plus les épaules disloquées. Mais je m'égare.

— Nous ne sommes plus des enfants, a conclu Geneviève en enfilant une chemise.

— Mes parents ne seraient pas d'accord.

— Qu'on se voit nus ou qu'on n'est plus des enfants ?

— Les deux, je crois, ai-je répondu après avoir soupesé la question.

— Alors c'est qu'ils ont raté ton éducation et qu'ils le savent.

Elle a éclaté de rire, mais je suis sûr qu'elle le pensait vraiment. Je n'ai pas su quoi répliquer. Je sais bien que ma mère me voit toujours comme son petit garçon. Je dois avouer qu'il y a des moments où je ne me sens pas si éloigné de ce petit bonhomme qui se prenait pour Batman et qui passait des heures enfermé à assembler des vaisseaux spatiaux en modèles réduits. À dix-huit ans, après tout, on est encore très jeune. Et parfois, surtout lorsque Geneviève est avec moi, je me dis que dix-huit ans, c'est l'âge où on doit se lever et sortir de sa bassinette, l'âge où on doit décider soi-même de ce que l'on croit vrai, et juste, et moral. Même si ça fait mal.

À la lumière de ce que j'ai vécu ce soir, je crois que j'ai de sérieuses décisions à prendre dans les prochains jours.

○

Pendant le trajet en métro, Geneviève m'a décrit ces fameux copains que j'allais rencontrer, histoire de me préparer mentalement. J'étais un peu anxieux et je ne le lui ai pas caché. Je n'aime pas me retrouver tout à coup en minorité, perdu dans un groupe rigolard où les anecdotes qui ne me disent rien fusent de tous les côtés.

— Trois garçons et trois filles, moi y compris, m'a-t-elle raconté. Il y a Sophie, Sophie

Coiteux. C'est notre bébé, elle a un an de moins que les autres parce qu'elle a fait deux années en une au primaire. Une petite brillante, qui se laisse aller et se fout un peu de ses études. Elle est en sciences pures à Montmorency, c'est te dire à quel point elle ne veut pas se forcer.

— Elle est jolie ? ai-je demandé.

Ces choses-là m'intéressent.

— Oui, je suppose, a lentement répondu Geneviève. Elle fait un peu trop poupée à mon goût. Elle se maquille beaucoup, ses coiffures sont plutôt extravagantes, enfin, tu vois le genre. Physiquement, Clara est beaucoup mieux.

— Clara ?

— Clara Porfirio. Elle vient d'Argentine, mais elle est ici depuis qu'elle est toute jeune. Elle est superbe. Superbe. Elle pourrait faire des millions comme mannequin.

— Hmm… j'ai hâte de la voir, ai-je soufflé avec un sourire coquin.

Geneviève a haussé les épaules, pas du tout impressionnée.

— Tous les hommes la regardent avec exactement ce même sourire idiot dans la figure. Moi, ça me rendrait folle de sentir tous ces yeux sur ma bouche et mes seins et mes fesses.

Elle m'a embrassé, puis a murmuré dans mon oreille :

— Je préfère *tes* yeux sur mon corps. Tes yeux m'aiment, eux.

Geneviève dit souvent des choses que j'ai hâte d'écrire dans mon journal.

— Tu dis qu'elle *pourrait* faire des millions comme mannequin, ai-je repris. Ça ne l'intéresse pas ?

— Non. Il n'y a que la littérature qui compte pour elle. Elle est en sciences humaines à Brébeuf. Elle veut entrer en lettres à l'université.

— Elle veut étudier pour devenir écrivain ? Drôle d'idée.

— Tu pourras lui en parler si tu veux. Enfin, il y a les trois gars : Jean-Marie, François et Alex. Jean-Marie est notre artiste, c'est une âme sensible, plus encore que Clara. Il étudie la musique à Saint-Laurent. Il joue du saxophone, il n'est pas mauvais du tout. François est en sciences pures à Brébeuf, il veut devenir médecin, il trime et trime et trime… c'est vraiment exceptionnel qu'il sorte avec nous ce soir. Quant à Alex, il fait de la sociologie au Vieux-Montréal, mais ce n'est qu'un prélude. Sa vocation, c'est la politique. C'est un visionnaire social. Il veut changer le monde… Il néglige même un peu ses études parce qu'il se retrouve toujours dans des manifestations ici et là. Il appelle ça l'école de la vie.

J'ai fait la grimace.

— Ça fait un peu cliché, non ? ai-je fait remarquer.

Geneviève a hoché la tête, avec un petit soupir.

— Oui. Mais pour Alex, c'est plus que ça. On ne peut pas douter de sa sincérité.

Ça faisait beaucoup d'information en une seule bouchée, mais pour lui montrer que tout ça m'intéressait, ou du moins que ça ne m'ennuyait pas trop, j'ai posé une question :

— Ah. Et il manifeste pour – ou contre – quoi, Alex ?

Inexplicablement, Geneviève a soudain eu l'air mal à l'aise.

— Qu'y a-t-il ? ai-je demandé, intrigué.

— Rien. Seulement, je commence à connaître le milieu d'où tu sors. Ton éducation.

— Qu'est-ce qu'elle a, mon éducation ? ai-je rétorqué, piqué malgré moi.

Je suis le premier à admettre que mes parents ne sont pas parfaits, mais ils ont toujours pris soin de mon frère et moi. Parfois, je ferme un peu les yeux, je fais semblant de ne pas entendre quand mon père passe un commentaire raciste, ou sexiste, ou tout bonnement méchant, mais je n'ai jamais manqué de rien. Mes parents savent prendre leurs responsabilités.

Apparemment, ce n'est pas assez pour Geneviève.

— L'atmosphère chez toi est un peu… hmm…

Elle cherchait ses mots. On aurait dit qu'elle me ménageait, qu'elle ne voulait pas me blesser, ce qui n'est absolument pas son genre.

— Enfin, tes parents sont plutôt de droite, non ? a-t-elle finalement lâché. Plutôt conservateurs. Et on ne peut jamais se défaire complètement des valeurs dans lesquelles on a baigné durant son enfance.

Je ne voyais toujours pas où elle voulait en venir. Je savais tout ça, elle ne m'apprenait rien. Je n'ai donc rien dit et j'ai docilement attendu.

— Alex est homosexuel. Il manifeste pour les droits des gais. François est aussi homosexuel, mais il n'a pas de temps à consacrer à l'activisme.

Effectivement, je suis resté un peu surpris.

— Ah, ai-je dit avec mon sens fulgurant de la repartie.

— Tu vois ? a fait Geneviève. Tes parents t'ont tellement tordu en dedans que tu te sens gêné par quelque chose qui ne devrait pas être vraiment plus important que la couleur des cheveux. Et ce qui est pire, ta gêne *me* gêne. Je ne sais pas pourquoi, mais je me sens obligée de justifier l'homosexualité de mes amis. Ça ne me plaît pas du tout.

J'ai rougi. Je n'aime pas la décevoir. Mais je ne pouvais tout de même pas me mettre à chanter « Gai-lon-la, vive les homos, comme ils sont beaux ! » C'est vrai, l'homosexualité est une chose qui m'a toujours dérangé. C'est un concept que j'ai de la difficulté à accepter.

— Tu veux toujours venir ? m'a-t-elle demandé, d'un ton presque agressif. Ça ne te dégoûte pas trop ?

Elle ne s'attendait tout de même pas à ce que je dise que j'avais envie de vomir ! Premièrement, l'homosexualité ne me dérange pas à ce point, et ensuite, j'ai vu dans son visage que notre relation dépendait peut-être de ma réponse. Un test, en quelque sorte.

— Oui, oui, non, non, ça va, c'est seulement un peu étonnant, voilà tout. Je n'ai jamais vu de, je veux dire, c'est la première fois... enfin, je n'ai jamais rencontré de gais avant.

— En es-tu sûr ? a-t-elle persiflé, sarcastique.

Elle ne semblait pas attendre de réponse. Et évidemment, en y repensant bien, je n'en suis pas si sûr. Comment l'être, au fond ? L'homosexualité, ça ne se voit pas au fond des yeux. Du moins, pas nécessairement. Les grandes folles, les tapettes, d'accord, mais les gais discrets ? Est-ce qu'ils arrivent même à se reconnaître entre eux ? Est-ce qu'ils ont des signes secrets, des poignées de mains symboliques, comme les francs-maçons ?

Et même les tapettes ne sont pas obligatoirement gais. L'année dernière, à La Passerelle, Luc Charbonneau a failli y laisser ses bijoux de famille quand il a traité Xavier Desroches de moumoune. Xavier, un des gars les plus efféminés que j'aie vus dans ma vie, a envoyé un formidable coup de pied entre les deux jambes de Luc en hurlant qu'il était straight. Luc a mis une demi-heure à s'en relever.

Pas évident, tout ça.

— Alex et François, ai-je dit pour meubler la conversation, est-ce qu'ils sont, euh... ensemble?

Geneviève a roulé des yeux effarés.

— Non, a-t-elle tranché. Et je t'en prie, fais attention à ce que tu dis, c'est exactement le genre de commentaire idiot qui fait bondir Alex.

— Comment, idiot? Tu me dis que deux de tes copains sont homosexuels, et je me demande s'ils sont ensemble. C'est naturel.

— Naturel. Parce que, bien sûr, si deux gais se retrouvent dans la même pièce, ils tombent immédiatement amoureux l'un de l'autre, tout le monde sait ça. Deux gais à moins de trois ou quatre mètres et boum, les hormones se déchaînent et ils ne peuvent plus se quitter. C'est bien un raisonnement hétéro, ça.

Je trouvais qu'elle exagérait un peu, tout de même.

— Mais non, enfin, je ne veux insulter personne. Je posais la question, c'est tout.

— Serge, pourquoi ne m'as-tu pas posé cette question à propos de mes amis hétérosexuels?

Quelquefois, surtout quand elle pense que je vais dire des sottises, Geneviève ne me laisse même pas le temps de répondre. Elle a vivement enchaîné:

— C'est simple. Parce que la sagesse populaire soutient que les gais, contrairement aux hétéros, sont des obsédés sexuels; ergo, ils tombent amoureux dès que l'occasion se présente et baisent à gauche et à droite, sans le moindre discernement.

Vue sous cet angle, évidemment, ma question pouvait effectivement paraître un peu insultante. Il me semble pourtant que ce n'est pas ce que je voulais dire. Mais est-ce bien ce que j'ai dit ? Je ne sais plus.

Mes conversations avec Geneviève me laissent parfois un peu étourdi.

3

Et ab haedis me sequestra

Lorsque nous sommes entrés au café Croissant de Lune, rue Saint-Denis, les copains de Geneviève étaient déjà arrivés. Ils étaient installés au fond et s'empiffraient de chocolatines et de croissants au beurre, arrosés de café et de chocolat chaud. Mais ils n'étaient pas que cinq, ils étaient huit ! Ils nous ont accueillis avec des cris et des rires tonitruants, des applaudissements, des sifflements et même des chansons. Rien au monde n'est plus bruyant qu'un groupe de cégépiens autour d'une table. Geneviève a fait les présentations rapidement, et les trois nouveaux ont fait leur tour de piste: Fabien est un ami de Clara (d'après moi, ils sont plus que simplement amis, mais personne n'a fait de commentaire), et Stéphane et Manon accompagnaient Jean-Marie.

Nous nous sommes assis, et je crois bien que, excepté quelques banalités soigneusement choisies, je n'ai plus rien dit de la soirée. Si Geneviève avait dans l'idée de me voir éblouir ses copains par le feu roulant de ma brillante conversation, j'ai dû la décevoir cruellement. J'étais intimidé. Les amis de Geneviève sont tous comme elle: vifs, raisonnés, articulés. Je me sentais plutôt petit. Alors j'ai mangé mes croissants et j'ai siroté mon café, lentement, en écoutant.

J'ai eu droit à un débat en règle. Les répliques et les arguments fusaient à une vitesse effarante, comme dans une pièce de théâtre. J'en suis encore tout retourné.

Le sujet, évidemment: l'homosexualité.

Je ne sais pas pourquoi, mais dès qu'il y a un homosexuel dans un groupe, un débat s'ensuit. C'est un sujet qui fascine tout le monde, on dirait. Et tout le monde a une opinion sur la question.

— Écoute, tout ce que je dis, moi, a déclaré Stéphane avec beaucoup de sérieux, c'est qu'on ne peut pas nier que ce n'est pas normal. Je ne dis pas que ça devrait être interdit ou pointé du doigt, mais ce n'est pas normal, c'est tout.

Alex a renversé la tête en arrière, avec un long grognement. Il a les cheveux blonds (blondasses, en fait, car ils ont été décolorés), coupés plutôt court, et des traits fins; le nez droit et long, la bouche mince, le teint pâle. Il ressemble un peu à David Bowie, c'est amusant. Il est assez séduisant, dans son genre, je suppose. Sur sa chemise, au-dessus du sein gauche, il portait une petite épinglette: un triangle rose. Ça m'intriguait, mais je n'ai rien dit.

Sa réaction laissait deviner que Stéphane n'était pas le premier à lui servir cet argument.

— C'est vraiment ce que tu peux trouver de mieux? a-t-il dit en regardant ses amis autour de la table. Bon, les autres m'ont entendu réfuter cette thèse-là un nombre incalculable de fois, mais je suis bien prêt à me répéter pour t'éduquer un peu.

Il a redressé les épaules et s'est mis à parler rapidement, avec conviction. Son débit et ses gestes étaient très précis, comme s'ils avaient été chorégraphiés, étudiés à l'avance. Geneviève m'a appris plus tard que ce n'était pas faux. Alex veut devenir politicien, et un politicien se doit d'être un artiste du discours et de la manipulation. Ce n'est pas tant ce qu'on dit qui compte, mais la manière dont on le dit. Alex s'exerce régulièrement devant son miroir, et mémorise des formules toutes faites, pour réduire ses « euh » et ses bafouillements au minimum.

— Primo, qu'est-ce que la normalité? Et secundo, pourquoi est-ce si important? Si on accepte que le concept de normalité peut se définir par « l'ensemble des caractéristiques partagées par une majorité », on arrive très vite à des aberrations. Personne ne songerait à protester contre un handicapé mental ou physique. Pourtant, ils ne sont pas normaux. Certaines personnes collectionnent les étiquettes de boîtes de conserve de petits pois au jus d'avant-guerre. Comparés au reste de la population, ils ne sont clairement pas normaux. Pourtant, personne ne voudrait s'opposer à leur hobby. Une telle définition implique qu'une minorité, quelle qu'elle soit, est forcément anormale. Mais ça ne tient pas. Les Québécois sont une minorité en Amérique du Nord. Devrait-on les considérer comme des gens anormaux pour autant? Évidemment pas, ce serait ridicule. Alors, quelle autre définition pourrions-nous utiliser? Celle de conservateurs, d'ultrareligieux? Ils définissent la normalité en dressant la liste de ce qui est et n'est pas acceptable – selon leur vision étriquée. Leur autorité leur vient du passé, des traditions, des coutumes, des vieux livres. Je rejette cette définition! Je la balaie du revers de la main! Ces gens-là ne parlent pas pour moi.

Alex a repris son souffle et Stéphane a essayé de placer un mot.

— Oui, mais…

— Un instant! a proclamé Alex impérieusement. Donc, si nous n'arrivons même pas à définir la normalité d'une façon satisfaisante pour toutes les parties, je me permets de poser la question : est-ce donc vraiment si important? Si tout le monde, d'après une définition ou une autre, peut être qualifié d'anormal, pourquoi devrait-ce être un critère? Oui, je l'avoue, je suis gai et je suis anormal. Selon une myriade de points de vue, je suis anormal. Et après? Et après, bon sang?

Et il s'est tu, croisant les bras sur sa poitrine. Les copains de Geneviève souriaient dans leur barbe. Moi, j'étais sidéré. Je n'arrivais pas à voir comment on pouvait contrer de tels arguments. Je l'ai déjà dit, je ne suis pas un rapide. Il me faut du temps, et du calme, pour me former une opinion. Sinon, je dis la première chose que mon cœur me dicte, et très souvent je profère une ânerie.

Mon regard est revenu sur François. « L'autre » gai se marrait doucement dans son café, mais il n'avait encore rien dit, rien apporté à la conversation. Il écoutait, comme moi, et avait l'air d'être fier de la performance de son ami. Je dis que mon regard est revenu sur lui, car depuis que nous étions arrivés, je l'avais observé presque sans arrêt, à la dérobée. Je ne sais pas pourquoi. Il me fascinait. D'abord, il a une présence physique qu'il est difficile d'ignorer. Je crois n'avoir aucune tendance, mais je suis assez objectif pour reconnaître la beauté d'un autre être humain, femme ou homme. Et François est remarquablement beau, c'est indéniable. Il n'est pas très grand, mais il est athlétique, et il bouge avec une grâce et une souplesse que j'ai rarement vues auparavant chez un garçon. Pourtant, il n'est pas du tout efféminé. Sachant qu'il est gai, je cherchais bien sûr ces petits signes, ces poignets cassés et ces petites voix haut perchées de la culture populaire, mais je ne les ai pas trouvés. Alex a un petit je-ne-sais-quoi qu'on peut facilement qualifier de tapettoïde, mais François est simplement beau. Ses cheveux sont très noirs, longs et retenus en queue de cheval à la nuque. Ses yeux sont bleu foncé, presque violets, il a les sourcils épais, le visage rectangulaire, le nez juste un peu épaté et la bouche plutôt mince. Il porte de petites lunettes cerclées de corne. Il s'habille avec beaucoup de goût : sa chemise noire à col mao lui allait comme à un mannequin, et ses pantalons étaient impeccablement repassés. Je ne savais pas que des gens de moins de vingt-cinq ans repassaient encore leurs vêtements de tous les jours.

Je ne crois pas que quelqu'un ait remarqué mon manège. François dégageait une telle impression de force tranquille, de paix. C'était enivrant. Et je ne l'avais toujours pas entendu dire un mot. Quand il m'avait été présenté, il avait simplement hoché la tête.

Ceci dit, il ne faut pas croire que je n'avais pas écouté la tirade d'Alex. Comme je l'ai indiqué plus haut, à mon grand désarroi, sa position me semblait inattaquable. Mais Stéphane n'était pas vraiment impressionné.

— Tu veux une définition de la normalité? a-t-il dit avec aplomb. En voilà une: la possibilité d'avoir des enfants. Les hétéros peuvent, les homos non. La plomberie n'y est pas.

— Encore une fois, c'est une définition qui ne veut pas dire grand-chose, a riposté Alex. Si un homme hétérosexuel naît impuissant, il ne peut pas avoir d'enfants. Il est anormal. Est-ce que la société va limiter ses droits civiques parce qu'il a les spermatozoïdes paresseux?

— Mais ce n'est pas sa faute! Il est né comme ça, ce n'est pas un choix, ce n'est pas sa faute!

— Tu tiens pour acquis, bien sûr, que l'homosexualité est un choix réfléchi. Ce n'est pas un débat que je voudrais relancer, parce que si jamais on arrive à prouver scientifiquement que l'homosexualité est génétique, je te prédis la plus grande rafle depuis la guerre. La société bien-pensante voudra «guérir» les gais, et je suis persuadé que la force sera employée. Je préfère laisser croire qu'il s'agit d'un choix, en effet. J'ai trop peur de l'alternative. Ça n'aide pas ta position, de toute façon, tu le saisis bien? Il existe des choix protégés par la société – la religion n'en est qu'un exemple. Je peux seulement te dire que beaucoup de gais n'ont pas l'impression d'avoir fait un choix conscient. Moi-même, je me suis toujours senti homosexuel. Mais je veux bien noter ta remarque et je te la renvoie : prenons un couple hétérosexuel qui, par choix justement, décide de ne pas avoir d'enfants. Sont-ils anormaux ? Devrait-on restreindre leurs droits civiques ?

— Non, évidemment, a dit Stéphane. Tu ne vois pas la différence ? Le couple hétéro *pourrait* avoir des enfants s'il le désirait. Pas le couple homosexuel.

— C'est faux, ça, s'est interposée Geneviève. Le couple homosexuel peut avoir un enfant d'une relation hétérosexuelle extérieure. Ou il peut en adopter un.

— Oh, ne me parle pas d'adoption homosexuelle, a riposté Stéphane. La tolérance, c'est bien beau, mais pas quand des enfants risquent d'en souffrir.

Et toc, ai-je pensé. Mais Geneviève ne l'entendait pas de cette oreille.

— Souffrir ? Comment des enfants peuvent-ils souffrir d'avoir des parents qui les aiment ?

Stéphane a roulé des yeux, comme s'il ne comprenait pas la question.

— Enfin, tu ne vas pas me dire que c'est un climat sain pour élever un enfant !

— C'est quoi, un climat sain? Un enfant aimé et encouragé par des homosexuels, ou un enfant détesté et ignoré par des hétéros?

— Joli homme de paille. Tu triches, tu présumes des tas de choses. Le mieux, c'est évidemment un foyer hétérosexuel, *avec* de l'amour et de la tendresse et de l'encouragement. Un enfant élevé par des homosexuels recevra forcément des tas de signaux... des signaux...

Il a hésité. Il n'avait pas l'air de vouloir terminer sa phrase. Je suppose que ce qu'il voulait dire, c'était « des signaux négatifs » ou quelque chose du genre, mais il n'osait pas. Je ne le blâme pas, le niveau d'hostilité à la table étant plutôt tangible.

C'est Alex qui est venu à sa rescousse.

— Oui, je crois que je vois où tu veux en venir. Mais encore une fois, c'est assez vague, tout ça... Écoute, quelle est la pire des choses qui pourrait arriver à un enfant élevé par des parents homosexuels? La pire?

— Eh bien, a lancé Stéphane immédiatement, imagine un peu comment il sera traité par les autres enfants à l'école, par exemple.

Alex a secoué la tête.

— Non. Ça, ça démontre plutôt le pouvoir des préjugés que les parents inculquent à leur progéniture. Et puis, tous les enfants souffrent d'une manière ou d'une autre entre les mains de leurs congénères. Un tel est faible en sport, l'autre porte des lunettes, un troisième a un drôle de nom... Non, c'est un peu faible. Tu peux trouver pire.

Stéphane n'a rien dit pendant quelques secondes. Puis il a avancé, lentement, sur la défensive :

— Il pourrait... il pourrait devenir...

— Il pourrait devenir gai lui aussi, a terminé Alex à sa place. C'est ça ?

Stéphane s'est redressé dans sa chaise. Maintenant que c'était dit, il retrouvait son courage.

— Oui ! Il court un plus grand risque de devenir homosexuel lui-même, si c'est le modèle avec lequel il a toujours vécu.

— Et puis après ? a dit Alex platement.

— Pardon ?

— Et puis après ? Qu'est-ce que ça change ?

— Tu ris de moi ? Si on laisse le champ libre à l'adoption homosexuelle, on permet une augmentation indue de la population gaie !

— Et puis après ? a répété Alex.

Stéphane était tout à fait dérouté.

— Mais qu'est-ce que tu racontes ? Si on se retrouve avec une trop grande population homosexuelle, c'est la fin de la race humaine, mon vieux ! C'est une évidence !

Alex a éclaté de rire. Ses amis n'ont pas pu s'empêcher de pouffer un peu.

— Je l'ai tellement entendue, celle-là, que je vais finir par la croire, a dit Alex d'un ton amusé.

Mais bien sûr, c'est totalement indéfendable. Mathématiquement, c'est ridicule. Outre le fait que l'homosexualité n'empêche en rien, physiologiquement, la reproduction… si, par ta définition, les homosexuels meurent sans s'être reproduits, qu'est-ce qui se passe ? Les *homosexuels* meurent. Les hétéros *de*meurent et continuent à se reproduire. Où est le problème ? Tant qu'il restera au moins deux hétérosexuels, la race humaine est sauve. On pourrait même dire que l'homosexualité est un bienfait pour l'humanité, car elle permet de réduire un peu la surpopulation de la planète. La seule façon que ta prédiction cataclysmique se réalise, c'est que *tous* les êtres humains de la planète décident, *en même temps,* non seulement de devenir homosexuels, mais de refuser de se reproduire, que ce soit naturellement ou par insémination artificielle. Tu crois que c'est probable ? Moi, je ne retiens pas mon souffle.

— Tout ça, c'est un écran de fumée, a dit Stéphane, mais il avait perdu une bonne partie de son assurance. La question n'est pas là. Tu me demandes de définir la normalité. Les hétéros, sauf exception, peuvent avoir des enfants eux-mêmes, sans avoir recours à toutes sortes de stratagèmes. Pas les homosexuels. Du moins, pas ceux qui suivent le mode de vie gai. Et ça, la société a décrété que c'était une différence importante. C'est tout.

Alex a eu un petit sourire en coin. Il a attendu quelques secondes avant de répondre, comme s'il réfléchissait à ce que son adversaire venait de dire. Juste un court moment de silence, qui a fait son effet, car quand Alex a finalement répondu, il l'a fait en murmurant, et toute la table a entendu.

— Je vois. Ainsi, la différence est théorique, sans rapport avec quoi que ce soit de concret. Un divertissement de philosophe dans une tour d'ivoire. Deux couples sans enfants, donc, à tout point de vue semblables, et pourtant… et pourtant…

— Et pourtant, ils sont différents ! Oui ! s'est exclamé Stéphane.

— Mais le *résultat* est le même, a continué Alex, imperturbable. Et si le résultat est le même, comment justifier une quelconque discrimination contre le couple homosexuel ?

Stéphane s'est tout de suite regimbé.

— Eh, ho, tu me mets des mots dans la bouche depuis tout à l'heure. Je n'ai jamais dit que la discrimination était acceptable. Je n'ai rien contre les gais, je dis seulement qu'ils ne sont pas…

— Normaux, oui, nous avions saisi. Mais tu n'as pas l'air de voir que ton obsession de la normalité est néfaste. Néfaste pour moi personnellement, comprends-tu ? Quand tu dis que je ne suis pas normal, tu fais sonner ça comme une insulte, comme quelque chose dont je devrais avoir honte. Et d'autres personnes moins intelligentes que toi pourraient utiliser tes arguments pour, justement, justifier les pires excès contre moi. Je le répète : je ne suis pas normal, mais bon sang, je ne suis pas le seul, et je ne comprendrai jamais pourquoi, si je ne fais de mal à personne, on devrait m'en tenir rigueur ! Enfin, Stéphane, que veux-tu faire ? Maintenant que tu as prouvé que l'homosexualité était anormale, que veux-tu faire ? Je t'écoute !

Nous nous sommes tous tournés vers Stéphane. Il avait l'air gêné, tout à coup. Pas parce qu'Alex l'avait convaincu de quoi que ce soit, mais parce qu'il sentait que la majorité ne penchait pas pour lui. Moi, je ne disais rien. J'étais plutôt d'accord avec lui, mais je n'avais pas envie de tenir tête à Alex. Et je ne voulais pas embarrasser Geneviève.

Stéphane a pris une grande gorgée de café.

— Rien, rien, a-t-il protesté, je ne veux rien faire ! Il n'y a rien à faire. Ce n'était qu'une observation, rien de plus.

Il donnait l'impression de vouloir clore la discussion, mais Alex est comme un pitbull : quand il a mordu, il ne desserre plus les mâchoires. D'une voix onctueuse, il a dit :

— Tu passes beaucoup de temps à vouloir convaincre les gens que cette observation est vraie, il me semble. Pourquoi ? Si ce n'est qu'une observation, rien de plus, pourquoi y tiens-tu tant ? Est-ce que ça cacherait quelque chose ? Du dégoût, de la crainte, de la haine, peut-être ?

Il y allait un peu fort, et Stéphane s'est fâché.

— Non ! De la haine ! Franchement ! Tu me fais dire des choses que je n'ai pas dites !

Le visage d'Alex s'est immédiatement transformé, est devenu sincèrement contrit. Il est vraiment très fort, il joue sur les sentiments avec beaucoup de doigté.

— Je m'excuse, a-t-il murmuré. Tu as raison, je ne joue pas franc-jeu. Seulement, quand je rencontre quelqu'un pour qui le concept de normalité est sacro-saint, j'ai presque invariablement devant moi un raciste, un homophobe, un intolérant.

Stéphane s'est calmé.

— Je ne suis pas un homophobe, a-t-il déclaré. C'est vrai que bien des gens le sont...

— En utilisant les mêmes arguments, tu vois ? a glissé Alex.

— En les utilisant de façon négative, a corrigé Stéphane. Mais moi, je remarque un état de fait, c'est tout.

Incroyable. Alex venait de faire publiquement admettre à Stéphane que son raisonnement était antigai, en lui laissant l'illusion qu'il était un garçon parfaitement ouvert aux différences. Plus personne à notre table n'avait le moindre doute sur les véritables sentiments de Stéphane face à l'homosexualité. Sauf, apparemment, Stéphane lui-même.

Et c'est à ce moment que j'ai apporté ma seule contribution au débat.

— Euh, je ne voudrais pas avoir l'air pointilleux, ai-je timidement hasardé, mais, euh, on ne peut pas utiliser le mot « homophobe » dans ce contexte.

Ils m'ont tous dévisagé comme si je venais de descendre de la lune.

— Pardon ? a demandé Alex.

— « Homophobe », ai-je répété. Ça ne veut pas dire ce que vous croyez.

— Ça signifie quelqu'un qui hait les gais, non ? a dit Sophie.

— Qui *a peur* des gais, a précisé Alex.

J'ai secoué la tête. Je faisais mon pédant, mais c'est plus fort que moi. Les mots, c'est mon rayon, et j'aime qu'ils ne soient pas trop corrompus.

— Ni l'un ni l'autre. « Homo » signifie « pareil » et « phobe » signifie « peur ». « Homophobe » veut dire « quelqu'un qui a peur de ce qui lui est semblable ». On ne peut pas l'appliquer à une personne qui n'aime pas les gais. C'est ridicule, ça ne veut rien dire.

Il y a eu un long moment de silence. François s'est mis à rire. Il a dit :

— Essaie de dire ça à la communauté gaie !

Il m'a offert un chocolat chaud et moi, comme un con, je suis tombé amoureux de lui.

4

Quid sum miser tunc dicturus ?

Je n'arrive pas à dormir. Il est tard, j'ai un examen demain matin, je devrais me reposer, mais il n'y a rien à faire, j'ai regardé le plafond pendant deux heures sans réussir à m'assoupir. J'ai même dû allumer la lumière, car je commençais à avoir des hallucinations : tous mes posters me donnaient l'impression de prendre vie et de vouloir m'engloutir. Albert Einstein était vraiment très laid, et quand, à trois heures du matin, il se met à hurler en silence, ça donne un choc.

Alors je me remets à l'écriture de mon journal. J'espère ne réveiller personne, j'essaie de taper le plus silencieusement possible. Le clavier de mon Mac antédiluvien crépite comme une machine à pop-corn.

J'ai terminé le récit de ma soirée au café d'une manière exagérément dramatique. C'est l'écrivain en moi qui ne peut pas s'empêcher d'embellir, de resserrer, d'améliorer. C'est bien joli, mais ça donne une mauvaise idée de la réalité. J'écris parfois des choses pour l'effet, parce que c'est beau. Par exemple, quand je raconte que je n'ai presque rien dit de la soirée, c'est évidemment faux. Je n'ai pas été aussi volubile que lorsque je suis seul avec Geneviève, mais je n'ai tout de même pas fait la carpe.

Oui, je suis amoureux de François, mais notre rencontre ne s'est pas terminée sur ce moment de révélation. Toutefois, si j'avais fini mon texte autrement, j'aurais ruiné ma chute.

Nous avons tous continué à discuter pendant un bon moment, nous avons parlé de choses et d'autres. J'ai fait semblant de m'intéresser à ce qui se disait autour de moi et j'ai fait de mon mieux pour avoir l'air très amoureux de Geneviève. Clara racontait combien elle admirait son professeur de « création littéraire », et je me suis bien retenu de lui rire au nez. « Création littéraire », je vous en prie! On ne peut enseigner à quelqu'un comment écrire, c'est absolument impossible. Ça s'apprend tout seul, en se cassant la margoulette maintes et maintes fois. Si un professeur m'apprend comment écrire, il va de soi que j'écrirai comme lui ou elle, que je ne ferai que singer les techniques qu'on m'aura inculquées ! C'est de la création, ça ? Ridicule.

Jean-Marie causait musique et était juste un tout petit peu snobinard quand je lui relatais les exploits de Push-Poussez, comme si un groupe de secondaire ne *pouvait* vraiment pas être potable. Évidemment, monsieur est au cégep en musique, ce n'est plus la même chose. Je croyais entendre Alain. J'ai tout de même gardé mon calme.

Pendant que Sophie buvait de la Boréal (à un rythme un peu trop rapide, on a dû la soutenir pour sortir), Geneviève et Alex se sont mis à débattre le pour et le contre de la souveraineté, et j'ai fait un petit discours empourpré sur l'importance de conserver notre culture intacte et sur l'impossibilité d'accomplir cette tâche dans le giron canadien. Et ensuite j'ai dû rentrer sous terre quand Alex, Geneviève et Clara ont complètement déchiqueté mes arguments et m'ont fait douter de mes propres convictions. Je l'ai dit et je le répète : je n'ai pas le sens de la repartie. Si j'avais noté tout ce qu'ils m'ont dit, je pourrais sûrement, à tête reposée, arriver à formuler des contre-arguments efficaces, mais pas sur le coup, comme ça, pour me défendre contre trois sportifs de la discussion. Geneviève a pris le parti fédéraliste uniquement pour le plaisir : je sais qu'elle est indépendantiste, elle me l'a dit !

Et tout ce temps-là, j'essayais de ne pas m'enfuir en hurlant.

Au moment précis où François a éclaté de rire, j'ai su, avec une certitude qui me fait peur, que j'étais amoureux de lui. Ça ne s'est pas passé comme avec Geneviève. Avec Geneviève, il y a eu progression, évolution, changement graduel. Je suis tombé amoureux d'elle au ralenti, comme on s'enfonce dans un fauteuil mou. Mais avec François, je n'ai bénéficié d'aucun avertissement. Je ne le connaissais pas hier, je le trouvais étrangement fascinant pendant qu'Alex et Stéphane discutaient, et quand il a ri, j'en suis devenu amoureux. Je l'aime, et du même coup, Geneviève s'est tranformée en bonne copine, rien de plus. Tout mon petit monde est en ruine.

C'était beaucoup à absorber en quelques secondes, et c'est sûrement un miracle certifiable qui m'a empêché de m'évanouir, ou de me sauver, ou de me mettre à sangloter. Je ne crois pas que Geneviève se soit doutée de quelque chose. Et je suis convaincu que François n'a rien remarqué.

Qu'est-ce que je vais faire ?

Vers vingt-deux heures, nous sommes sortis, et nous avons marché sur Saint-Denis, puis sur Sainte-Catherine, juste comme ça, pour respirer.

Sophie en avait plus besoin que nous ; elle avait trop bu, son teint verdâtre jurait avec son rouge à lèvres foncé. Et juste comme ça, je me suis rapproché de François et nous avons parlé.

— C'était vraiment rigolo, ta remarque, a-t-il dit en souriant.

— Ma remarque ?

— À propos du mot « homophobe ». C'est vrai, ce que tu as dit ? Tu n'inventais pas ça au fur et à mesure ?

— Seigneur, non ! ai-je protesté, un peu insulté. Je ne raconte pas n'importe quoi, quand même, les mots, c'est ma passion !

— Oh, tu sais, c'est la passion d'Alex aussi, mais lui, il n'a aucun scrupule à redéfinir les mots et les phrases pour qu'ils servent son propos. Je me disais que tu avais peut-être improvisé ta définition juste pour lui couper le sifflet.

J'ai haussé les sourcils, étonné de sa candeur.

— Non, non, non, ce n'est pas mon genre. Je n'ai pas envie de devenir politicien. J'arrive à peine à les écouter sans avoir envie de les engueuler – ou de dégueuler. Parfois, je me plais à penser que dans un vrai pays du Québec, les choses seraient différentes, mais je ne suis pas fantaisiste à ce point. Les politiciens d'un Québec indépendant seront aussi serviles, aussi manipulateurs et aussi empêtrés dans le système que ceux du reste de la planète. Ce qui ne m'empêchera pas de voter « oui » au prochain référendum.

— Tu es bien cynique, Serge Brochu.

— Je me souviens d'avoir lu quelque part que « cynique » est l'adjectif que les idéalistes appliquent aux réalistes.

Et François a encore ri, et j'ai senti mon cœur faire un bond. Pendant que nous marchions, je n'essayais pas de comprendre pourquoi je voulais ne plus jamais m'éloigner de lui, pourquoi je ressentais une incoercible envie de lui prendre la main, comment j'avais pu perdre tout sentiment tendre pour Geneviève. J'enfouissais au plus profond de mon âme le sentiment de dégoût que m'inspirait toute cette situation, mon embarras, ma détresse, ma terrible confusion.

Je me concentrais seulement, de toutes mes forces, sur ses yeux, et sa voix, et ses mots. Et plus je l'écoutais me parler, plus je voulais l'écouter. Et plus je voulais qu'il m'écoute, qu'il me regarde, qu'il me remarque. Qu'il ne m'oublie jamais. Contrairement à ce qui s'est passé pour Geneviève, où tout s'est déroulé si naturellement que je n'ai jamais eu à y penser, je me suis employé à séduire François consciemment, sciemment, d'une façon volontaire et presque désespérée. Je ne suis pas certain que *séduire* soit le mot juste, mais je voulais fixer mon image dans son esprit, l'impressionner, le forcer à se souvenir de moi. J'avais le sentiment de trahir Geneviève.

J'ai sorti tout mon arsenal. Toute la culture littéraire que je possède y est passée, toutes les références poétiques, tous les noms, les dates et les anecdotes, en un feu crépitant d'érudition qui a dû paraître vraiment ostentatoire, mais je m'en balançais.

J'ai découvert que, sous ses dehors réservés et ses manières très posées, François est un enthousiaste. Ses études en médecine sont le résultat d'une sérieuse vocation. Il me racontait ses espoirs, ses ambitions de faire reculer les maladies et de faire avancer la race humaine, et moi je l'admirais. Il parle de la médecine comme d'une grande guerre, avec des bons et des méchants, l'armée du Bien et l'armée du Mal, comme si les microbes et les bacilles avaient le libre arbitre et choisissaient leur cause. C'était très fort, comme image, même si ce n'était pas particulièrement réaliste.

— Je vais peut-être l'utiliser dans une nouvelle, si ça ne te dérange pas, ai-je menti sans ambages.

— Ah oui, tu écris, tu disais.

— J'ai l'intention de faire carrière.

— Rien que ça, a-t-il commenté avec un sourire.

— Je fais tout ce que je dois faire.

Clara s'est tournée vers moi.

— Je croyais que tu étais en administration, a-t-elle fait, l'air perplexe.

— Si l'écriture ne décolle pas du tout, j'aurai quelque chose de solide sur quoi me rabattre. Je ne suis pas un artiste. Je suis un écrivain.

— Les écrivains sont des artistes! a-t-elle protesté, un peu choquée.

— Certains, sûrement, mais pas tous, ai-je répondu gentiment. Pas moi, en tous cas. Enfin, je veux dire que je ne le saurais pas. Mes lecteurs devront en décider.

Je ne veux pas faire prétentieux, mais ma remarque a semblé dépasser complètement Clara. Elle a froncé les sourcils, puis elle m'a demandé:

— Qu'est-ce que tu fais, alors, pour préparer ta carrière?

— J'écris.

Clara a fait la moue, l'air tout à fait décontenancé, comme si elle se disait que ce n'était tout de même pas suffisant. François souriait, et j'ai vu qu'il comprenait exactement ce que je racontais. Geneviève aussi, je dois l'admettre, mais ça n'avait plus la même importance.

— Tu écris très bien, a tranché Geneviève en m'embrassant.

Je lui ai rendu son baiser, me détestant d'avoir à jouer cette lamentable comédie.

— Tu écris quoi, au juste? a demandé François.

— N'importe quoi, des nouvelles, des poèmes, des textes de chansons pour Push-Poussez... enfin, plus maintenant... et j'ai commencé un roman.

— J'aimerais bien te lire.

À ma surprise, les autres se sont exclamés que ça leur plairait bien, à eux aussi. J'ai regardé Geneviève.

— Récite quelque chose, a-t-elle suggéré, le regard fier et amoureux.

En temps normal, j'aurais été bien trop intimidé pour dire oui, mais à ce moment précis, je voulais tellement épater François qu'il aurait fallu m'assommer pour m'empêcher de réciter. J'ai pris une profonde inspiration et j'ai déclamé, en y mettant toute l'expression dont je suis capable :

Ta main sur ma gorge m'étouffe
Cette main que j'aime
Cette main que tu ne connais pas
Et mes larmes de sang
Se mêlent
Aux gouttes d'encens
Sur ta peau – ce temple opalin
Je m'agrippe mais je glisse
Et ta douceur m'écorche l'âme
Tes lèvres à mon oreille
Font couler un miel brûlant
Et me coupent du monde
En lanières jouissantes
Et mes lèvres solitaires
Se tordent et se plissent
Incertaines
Et théâtrâlent des mots perdus
Des cruautés et des tendresses

Emmêlées
Tes cheveux tremblent à ma joue
Forêt odorante où il fait toujours nuit
Où je me suis perdu
D'où je ne veux sortir
Tes yeux au-dessus des miens
Des astres
Tes yeux se moquent des astres
Mon regard embruiné sur tes seins
Blanches coupoles de ce temple opalin
Et nous dansons de loin
Et moi
Je souris dignement mon mal
Mon mal assommant
Que m'assène à tout moment
Ton rire aux multiples lames
Cisaillant mon âme ahurie.

Ce texte se récite en moins d'une minute. Quand je me suis arrêté, j'ai eu l'impression que je me dégonflais physiquement. Mes genoux tremblaient. Si on se fiait aux visages cois de mes auditeurs, mon âme n'était pas seule à être ahurie. Geneviève arborait un immense sourire d'orgueil ; je ne pouvais m'empêcher d'en ressentir de la culpabilité. Finalement, François a dit :

— C'est beau.

J'ai éclaté de rire et l'atmosphère s'est immédiatement détendue. J'étais flatté et soulagé.

— Ce n'est pas mauvais, je suppose, ai-je admis avec une modestie qui m'honore. Mais je ne crois pas que ce soit du grand art. J'ai juste assez de talent pour savoir que je n'ai pas de génie. Ça va, ça ne me dérange pas trop, j'ai autre chose pour être heureux. Mais j'avoue que parfois, vers trois heures du matin, quand je n'arrive pas à dormir parce que je viens de lire du Boris Vian, je pense à mes limites, et j'ai mal. On a tous nos croix à porter.

J'ai ri encore. Clara s'est passé la main dans les cheveux. Elle n'avait jamais pensé à tout ça, j'ai l'impression. François m'observait avec un air d'admiration qui ne me semblait pas feint, et c'est tout ce que je demandais.

○

À la fin de la soirée, alors que je m'apprêtais à revenir chez moi, la phrase « Je suis amoureux d'un garçon » résonnant dans ma tête comme une chorale à quatre voix, un dernier petit incident est venu tirer un peu plus le tapis sous mes pieds.

— Qu'est-ce que c'est, ça, au juste ? ai-je demandé, tout à fait innocemment, en pointant du doigt l'épinglette d'Alex. Ça signifie quelque chose ?

— Le triangle rose? Plutôt, oui.

La voix d'Alex a repris son ton professionnel. Alex est comme une machine à réponses toutes préparées d'avance. La question entre à un bout, par les oreilles ou les yeux, et tactactactac, la réponse sort à l'autre bout, par la bouche.

— C'est un symbole dégradant que nous avons transformé en un objet de fierté. Ça décontenance toujours l'ennemi. En Allemagne nazie, les homosexuels furent systématiquement persécutés. Lorsqu'ils étaient envoyés dans les camps de concentration, puis, plus tard, dans les camps de la mort, ils devaient porter le triangle rose pour qu'on puisse bien les identifier.

5

Culpa rubet vultus meus

Geneviève ne se doute de rien. Il y a déjà une semaine que j'ai rencontré François. Je ne l'ai vu en tout et pour tout que quatre heures, peut-être quatre heures et demie. Depuis, sept longues journées de vie normale, bouffe, études, dodo. Le rythme abrutissant – normal, quoi. On serait en droit de s'attendre à ce que je me sois rétabli assez vite du choc françoisien, puisque de toute évidence, une relation, disons, *fouillée* avec lui est hors de question. Un, j'aime Geneviève. Deux, je ne suis pas homosexuel.

J'aime Geneviève. J'aime Geneviève. J'aime Geneviève.

Dans *The Hunting of the Snark,* Lewis Carroll fait dire à l'étrange capitaine de son navire de chasse : " What I tell you three times is true", ce qui signifie : « Ce que je vous dis trois fois est vrai. » J'aime Geneviève. J'aime Geneviève. J'aime Geneviève.

Ma mère, je m'en souviens tout à coup, a déjà affirmé quelque chose de semblable, bien qu'elle n'ait jamais entendu parler de Lewis Carroll, j'en mettrais ma main à couper. « Serge, m'a-t-elle dit à je ne sais plus trop quel propos, à force de tout le temps se répéter les mêmes menteries, les gens finissent par se croire eux-mêmes. » Ça manque de style, mais je dirais qu'elle a mis le doigt sur quelque chose d'assez fondamental. J'aime Geneviève. J'aime Geneviève. J'aime Geneviève.

Je me demande si ça compte quand on utilise les fonctions *couper* et *coller* du traitement de texte.

J'aime Geneviève. Je le sais, je le sens, et je me le répète toutes les cinq minutes, comme un mantra, comme une prière, comme une formule magique. Et comme un mantra, comme une prière, comme une formule magique, ça ne fonctionne pas. Un mensonge, c'est un mensonge, et je suis incapable de me convaincre du contraire. C'est probablement pour cette raison que je ne crois pas en Dieu. Et c'est précisément pour ça que je n'arrive pas à faire renaître en moi les sentiments que j'avais pour Geneviève avant qu'elle (elle, bon sang !) me présente François. Je pourrais peut-être interpréter tout ça comme un bon exemple de ma stabilité d'esprit, de ma rationalité, de la ferme maîtrise avec laquelle j'appréhende la réalité. Mais ça fait aussi mal.

Je n'aime pas Geneviève. Je ne l'aime plus.

Hier soir, j'ai fait l'amour avec elle pour la première fois.

Nous n'étions pas prêts. Ni l'un ni l'autre, et moi encore moins qu'elle. Pourtant, j'ai insisté et insisté, je me suis fait cajoleur, empressé, pressant. J'ai frôlé la limite du harcèlement.

— S'il te plaît...

Elle a ri, un peu embarrassée, et m'a repoussé.

— Mes parents vont revenir, a-t-elle protesté.

— Tu m'as dit qu'ils n'arrivaient jamais avant neuf heures quand ils vont faire de la natation. Ça nous laisse presque une heure. Geneviève...

— On sait jamais, ils pourraient revenir plus tôt aujourd'hui.

— Et puis après ? Tu me dis toujours qu'ils ont l'esprit ouvert...

Je me suis approché, je l'ai prise dans mes bras. Elle sentait bon. J'ai embrassé sa nuque, j'y ai fait lentement tourner ma langue. Elle a eu un frisson, comme si elle avait froid tout à coup, mais elle avait au contraire plutôt chaud.

— Ouvert, ouvert, je veux bien, mais de là à vouloir qu'ils nous surprennent en train de nous envoyer en l'air dans le salon, il y a quand même une marge.

— On peut aller dans ta chambre. Je suis prêt, Geneviève, ai-je effrontément menti. Je suis prêt, et j'espérais que tu le serais aussi. Ça fait quand même un moment qu'on est ensemble, non ? Et je te trouve tellement belle. Je te regarde… tu vois comment je te regarde ? Tu vois mes yeux ? Je te regarde et je me dis que j'ai de la chance de t'avoir pour partager ma première fois. Je me dis que je ne voudrais jamais partager ça avec une autre que toi.

Elle a soupiré, un petit soupir tendre, clairement sincère, et elle m'a embrassé. Je m'en voulais amèrement, mais c'était comme si j'avais perdu le contrôle de mes actes, comme si j'étais un personnage de roman, obligé de faire ce que l'auteur avait décidé pour moi. C'était horrible, mais en même temps, c'était assez agréable pour ne pas vouloir faire l'effort de tout arrêter. Geneviève embrasse bien. Et c'est vrai que je la trouve belle. Ce sont là des faits qui ne peuvent être niés simplement parce que je ne l'aime plus.

— Je t'aime, Geneviève.

— Serge…

J'ai doucement passé la main sous sa chemise, sous son soutien-gorge, sur ses seins. Les mamelons étaient rigides, je les sentais frotter sur ma paume comme des petites billes recouvertes de soie. Geneviève a pris une grande inspiration, elle m'a serré contre elle. Sa main s'est prestement faufilée dans son dos, et j'ai senti le soutien-gorge se détendre. J'ai continué à caresser sa poitrine, gentiment, sans m'acharner sur les mamelons. J'ai lu quelque part que ça peut devenir désagréable.

— Serge… je t'aime…

— Viens avec moi dans ta chambre, Geneviève. C'est le moment.

— Mais mes parents…

J'ai fait la moue.

— Tu m'aimes, oui ou non ?

C'était une chose immonde à dire. C'était un point de non-retour, une frontière, et pas la plus noble. Geneviève aurait pu me flanquer là, me gifler, elle aurait eu raison. Mais ça a tout de même marché. Elle m'a embrassé de plus belle, et elle s'est mise à me caresser un peu partout, avec fougue, avec l'énergie d'une jeune fille amoureuse qui veut prouver quelque chose.

Elle s'est levée. Elle s'est complètement déshabillée devant moi.

— Tu as un condom ? a-t-elle demandé.

Nous sommes allés sur son lit. J'étais encore dans une espèce d'état second. Une moitié de moi avait envie de vomir, de pleurer, de tout lui avouer et d'implorer son pardon à genoux. L'autre moitié, tout bonnement, était excitée. J'ai eu une érection sans problème. J'avoue que ça m'avait inquiété. Nous avons été capables de mettre le condom sur le bon morceau et dans le bon sens. J'avais l'air d'avoir une saucisse Hygrade entre les cuisses – en plus dur – mais qu'à cela ne tienne, après quelques tâtonnements nous étions imbriqués l'un dans l'autre.

À travers ma hargne, ma rancune, mon dégoût de moi-même, quand j'ai vu qu'au début elle avait un peu mal, j'ai voulu faire de cet acte un exemple parfait de première fois, doux, tendre et attentionné. Comme pour me racheter. J'ai pris soin d'elle. Je me suis concentré sur son corps à elle, sur sa peau, sur ses frissons, sur ses gémissements. J'ai fait de mon mieux pour ignorer mon propre plaisir, qui ne demandait qu'à crachoter sans délai. Je n'ai réussi, bien sûr, qu'à le retarder de quelques misérables minutes, mais Geneviève a eu l'air d'apprécier l'intention. Elle m'a serré dans ses bras en me remerciant, en me promettant que nous allions vieillir ensemble, que rien ni personne ne pourrait nous voler ce que nous venions de vivre.

Je ne me suis jamais senti aussi traître.

Quand j'ai éclaté en sanglots, je lui ai fait croire que je pleurais de joie. Elle est si amoureuse de moi qu'elle a gobé cette explication ridicule sans un « Franchement ! » Elle veut tellement me croire. Elle doit se répéter que je l'aime, comme un mantra, comme une prière, comme une formule magique. Mais je pleurais parce que je savais, maintenant, que je ne l'aimais plus. Je pleurais parce que je lui avais volé, justement, une première fois avec quelqu'un qui l'aimait.

Je pleurais surtout parce que je m'étais moi-même volé une première fois avec quelqu'un que j'aime.

Je ne sais pas jusqu'où je serais allé pour que nous couchions ensemble, si elle avait été plus ferme dans son refus. Je ne sais pas, parce que je n'ai pas eu à le découvrir, mais je peux imaginer bien des choses. Quand on laisse son esprit libre de fabuler, de réordonner le temps et les événements, on est souvent surpris et écœuré par les images qui se forment tout naturellement derrière nos yeux. Quand le danger d'avoir à mettre notre sens moral à l'épreuve est écarté parce que la crise n'a tout simplement pas eu lieu, on arrive sans difficulté à imaginer les plus violents, les plus sordides scénarios. On se prête des réactions dont on se défendrait avec véhémence en public.

Si elle avait catégoriquement dit non, qu'aurais-je fait ? Aurais-je continué à l'emmerder, à faire mon amoureux rejeté, à prendre une voix pleurnicharde pour affirmer qu'elle ne m'aimait plus, car si elle m'aimait nous n'aurions pas cette conversation, nous serions déjà à poil à nous lécher de pied en cap ?

L'aurais-je prise de force ? Lui aurais-je arraché ses vêtements ? Me serais-je introduit en elle en ignorant ses cris, sa rage, sa honte? L'aurais-je frappée pour qu'elle se taise?

Qu'aurais-je fait? Je l'ignore, mais que j'arrive à imaginer tout ceci le plus facilement du monde me répugne.

Non. Je sais que je n'aurais fait aucune de ces horreurs. J'en suis convaincu.

Tout de même, je suis soulagé de ne pas avoir eu l'occasion de mettre mes convictions à l'épreuve. Je suis sûr que, trois minutes avant de poser le geste qui les mènera en prison, la plupart des criminels ne se croiraient jamais capables d'aller jusque-là. Le bien et le mal, c'est toujours une question de circonstances et de *jusque-là*. Juste avant, c'est le fait d'un malotru; juste après, ça justifie les barreaux. Et dans certains pays, moins scrupuleux, la chaise électrique.

Je voulais absolument faire l'amour avec Geneviève. Je voulais me prouver quelque chose. Quoi au juste? Maintenant, ce n'est plus clair.

J'espérais que l'expérience unique de perdre ma virginité avec elle me ferait l'aimer comme avant. Je n'ai réussi qu'à confirmer hors de tout doute que je ne l'aime plus. Comme confirmation, on peut difficilement faire plus triste.

J'ai prouvé de façon tout à fait satisfaisante que je pouvais ressentir du désir physique pour une femme. Ça me fait une belle jambe. Je croyais, je suppose, que ça démontrerait mon hétérosexualité. Évidemment, à tête reposée, je me rends compte que ça ne démontre rien de tel. *Le Robert* définit *homosexuel(elle)* comme suit : *personne qui éprouve une attirance sexuelle plus ou moins exclusive pour les individus de son propre sexe.* Même le dictionnaire protège ses arrières avec ce *plus ou moins.* Ce n'est pas si simple. Ce n'est pas qu'une question de cul. Si on accepte qu'on puisse désirer quelqu'un sans l'aimer, je crois qu'il est sûrement possible d'aimer quelqu'un sans vouloir se retrouver dans son lit. La preuve, des tas de gens arrivent à tomber amoureux sur Internet, sans jamais s'être trouvés dans la même pièce, dans la même ville ou sur le même continent ! Sans le moindre indice sur l'apparence physique de l'être aimé, sur son timbre de voix, son odeur, son rire, la rondeur de ses seins ou la longueur de son pénis, peut-on en toute honnêteté parler de désir sexuel ? Un désir sexuel réel, et non basé sur un phantasme sans relation avec l'objet désiré ? Pourtant, qui oserait affirmer que ces gens ne s'aiment pas, que leur amour est feint, que leur passion est illusoire ?

Et si ce raisonnement est valable pour les hétérosexuels, il l'est *a fortiori* pour les homosexuels. Une des premières choses qu'on apprend sur le Net, c'est de ne jamais tenir pour acquis que le nom de son interlocuteur correspond à son sexe véritable. J'ai lu dans un article quelque part qu'un pourcentage appréciable des femmes sur le Net sont en réalité des hommes. Il s'ensuit qu'il est certainement arrivé à deux hommes de tomber amoureux l'un de l'autre, *même si l'un d'eux croyait avoir affaire à une femme.* Ils se seront envoyé des mots de feu, intimes, ils se seront donnés l'un à l'autre comme une offrande, ils se seront promis fidélité éternelle dans ce monde et le prochain : ils auront été amoureux, quoi. Puis, si enfin ils se voyaient pour la première fois, à l'aéroport ou dans un terminus d'autobus, la concordance de leurs sexes pousserait l'un d'eux à rejeter l'autre, à le vouer aux gémonies, à refuser tout à coup ses avances avec autant de passion qu'il en avait auparavant déployée à les accepter, à refuser même d'admettre qu'il ait jamais pu être amoureux de lui ? L'histoire et le passé seraient modifiés pour que jamais on ne puisse croire qu'il ait pu y avoir une miette d'amour là où il n'y aurait maintenant que du mépris ? Tout ça parce que l'autre a aussi une queue entre les cuisses ?

Le *mensonge* est grave. Avoir fait croire que l'on était autre chose que ce que l'on est, c'est répréhensible. Ça ne fournit pas des bases solides sur lesquelles bâtir une relation sérieuse. Pour être franc, ça fausse un peu mon exemple.

Mais le fait que l'autre soit du même sexe ?

Non.

Ça ne tient pas.

Avant de le savoir, on est amoureux, et après on ne l'est plus ? Qui plus est, si on l'avait su on n'aurait jamais été amoureux ? Comme on dit en québécois – et je déroge ici à ma règle, mais je crois que l'effet le justifie : d'la marde.

C'est de la rationalisation de bas étage. Ça pue les préjugés. C'est admettre qu'on a le cerveau déconnecté. C'est le refus le plus crasse de regarder la réalité en face. C'est admettre qu'on est maintenant moins qu'un homme, parce qu'on ne veut plus penser.

Et merde, c'est un jeu auquel je ne me prêterai pas. J'écris ceci pour moi, je n'ai pas de réputation à sauvegarder ici. Je suis capable de m'écouter. Je suis encore assez intègre pour faire abstraction de la vision de mon père, cette vision courte, simplette, remâchée depuis des générations. Mon père a appris de mon grand-père que les tapettes sont méprisables, que les homosexuels sont contre nature. Mon grand-père l'a appris de mon arrière-grand-père, mon arrière-grand-père de mon arrière-arrière-grand-père, et ainsi de suite jusqu'à Adam probablement, en une longue chaîne d'abdication intellectuelle, renforcée sans aucun doute par les jugements raides, intransigeants d'une Église plus intéressée à contrôler les gens en leur rappelant que nous ne pouvons avoir la prétention de croire au bonheur sur Terre parce que ce même Adam a commis le péché de curiosité, qu'à leur montrer combien cette vie terrestre – la seule que nous connaissions vraiment – peut être belle.

Je me relis et je trouve que j'ai changé bien vite d'avis. Je n'ai pas eu le choix. Je n'ai aucune excuse à faire à quiconque. Si je n'avais jamais rencontré François, je n'aurais jamais réfléchi à tout ça. Mais j'ai posé mon regard sur lui et j'ai eu à comprendre, *rapidement,* ce qui m'arrivait. Mes sentiments ne m'ont pas attendu, eux. Mon cœur, quand il battait à faire mal lorsque j'entendais François rire, n'a pas attendu que je me fasse une opinion. Il avait déjà décidé, et à moi de me rajuster en cours de route.

L'homosexualité me dérange encore, sourdement, bêtement, dans mes tripes, mais maintenant, je ne peux plus me rabattre sur des jugements préfabriqués. Je suis confronté au problème, j'y suis proprement englué, et il faut que j'en sorte moi-même, tout seul, comme un grand. Les réponses de mon père et de toute sa lignée me semblent tellement enfantines, maintenant.

Quand j'ai fait l'amour à Geneviève, je me suis prouvé que je ne l'aime plus.

Que j'aime François. Que j'ai, à tout le moins, craqué pour lui.

Que le sexe et l'orientation sexuelle n'ont qu'une relation tout au plus indirecte.

Qu'à un niveau bêtement bestial, je suis probablement bisexuel.

Que l'idée de prendre François dans mes bras et de lui avouer mes sentiments me donne des palpitations.

Que s'il me rendait ces sentiments, je hurlerais d'une joie sauvage.

Que l'idée de l'embrasser, de le caresser, de lui faire l'amour ne me remplit pas de dégoût.

Que l'idée d'embrasser, de caresser *un autre homme que lui* me remplit de dégoût.

Que l'hétérosexualité et l'homosexualité n'existent pas. Il n'y a que des êtres humains, qui s'aiment ou qui ne s'aiment pas.

Et moi, j'ai eu le coup de foudre pour François. Si ça fait de moi une tapette, ben d'la marde.

6

Judex ergo cum sedebit

Geneviève et moi sommes allés passer une soirée au Daphné, avec ses amis. Ça devient une habitude. Depuis un mois, nous nous sommes vus, tout le groupe, cinq fois. Et j'ai remarqué quelque chose de plutôt bizarre.

Je rêve peut-être. Je vois des signes là où il n'y a que des coïncidences. J'interprète certains gestes de la façon qui me plaît le plus, accentuant ceci, ignorant cela. Dieu sait que je n'ai pas beaucoup d'expérience dans le domaine. Il n'est pas impossible que je me fourvoie royalement. Mais il me semble, je le répète, plutôt bizarre que François, qui n'a supposément qu'à peine le temps de manger et de dormir tant ses études l'accaparent, ait réussi à être présent aux cinq rencontres.

Il n'en a pas manqué une. Non, c'est faux. Il en a manqué une, une seule : la soirée où Geneviève et moi avions un empêchement. La sixième, quoi. Il avait un empêchement aussi, héhé, et les autres ont dû se débrouiller sans aucun de nous trois – ce qu'ils ont fait, nous ont-ils dit plus tard, sans la moindre difficulté.

François semble aussi s'intéresser de très près à tout ce que je raconte. Il m'écoute religieusement, rit de mes blagues comme Geneviève. Il m'a expressément demandé de lui prêter quelques-uns de mes textes, et il les a commentés en termes si élogieux que j'en ai rougi. C'est tout juste s'il ne s'est pas arrangé pour être assis à côté de moi à chaque fois.

Je me sens comme un écolier de douze ans. Comme un jeune drogué. J'ai constamment des vertiges. Alors voilà : ou je suis « enceinte », ou j'ai complètement perdu les pédales à propos de François. *Pédales,* le mot est bien choisi, c'est rigolo. J'ai commencé à écrire des poèmes pour lui. Je les efface au fur et à mesure de la mémoire de mon ordinateur – on n'est jamais trop prudent –, mais je ressens en les écrivant la même félicité que je ressentais quand je composais des trucs pour Geneviève. Ce serait le bonheur total si ce n'était de deux choses : Geneviève, justement, qui m'aime toujours autant et à qui je n'ai encore rien osé avouer, et la case que l'objet de mes désirs doit cocher lorsqu'il a à répondre, dans un formulaire, à la question M__ F__.

— Je te jure, tu l'as drôlement impressionné, le François ! m'a dit Geneviève, l'autre jour.

Elle m'a dit cela sans la moindre trace de jalousie dans la voix ou le visage. Je ne crois pas que le concept *Serge plus François* lui ait même traversé l'esprit. J'ai l'impression qu'en ce moment elle serait incapable d'envisager cette possibilité.

— Tu trouves ? ai-je demandé un peu nerveusement.

— Oh, absolument. Il m'a parlé de toi au téléphone. Il adore ce que tu écris, il trouve que tu es intelligent, cultivé, drôle. Il t'a remarqué, c'est tout. Il ne fait pas ça souvent, ce n'est pas son genre. D'habitude, on dirait plutôt qu'il ne voit personne. La majorité des gens l'indiffèrent.

— Et les autres ?

— Les autres l'emmerdent.

— Ah.

— Mais toi, tu fais partie de la très petite minorité de ceux qu'il apprécie. Bienvenue dans le club.

Ce que j'avais véritablement envie de répondre, c'était que je ne l'aimais plus, que je ne pouvais plus la leurrer ainsi, et que, grâce à ce qu'elle venait de me dire, j'étais enfin décidé à la laisser et à me précipiter dans les bras de François. En ai-je eu le courage? Ben voyons.

En lieu et place, j'ai répondu:

— Merci.

Elle a ri et a déposé un baiser sur ma joue – qui me brûle encore.

Ce soir, j'avais invité Dave et Jessica. Il y avait un petit moment qu'on ne s'était pas vus. Je m'ennuie de Dave. Malgré toutes nos différences – ou peut-être précisément à cause d'elles –, c'est un des meilleurs amis que j'aie jamais eus. Lui et Jessica forment un couple extraordinaire, étonnamment contrasté à tous les points de vue: il est noir, catholique, d'un tempérament contemplatif; elle est blanche, juive et prend violemment la mouche lorsqu'elle est confrontée à l'injustice. Jess en connaît un ou deux rayons à ce sujet, étant, comme je l'ai dit, juive – un nombre impressionnant de gens en ont encore contre les Juifs, même aujourd'hui, même ici, même après la Deuxième –, mais surtout parce qu'une assez envahissante tache de vin la défigure. Il s'agit d'une large chose rouge violacé, qui s'étale sur tout le côté droit de son visage, du haut des sourcils jusqu'en dessous du menton. Ce n'est pas joli joli et, les premières fois, c'est hypnotisant. Il est difficile de regarder Jess dans les yeux plutôt que dans la tache. Quand on la connaît mieux, ça se tasse, bien sûr. Jessica a une personnalité forte, irradiante. Et il faut avouer qu'elle a aussi un corps qui exige qu'on réagisse, tout en creux là où il doit y avoir des creux et en bosses particulièrement plantureuses là où on est en droit de s'attendre à en trouver. Mais elle a eu à endurer bien des tracasseries à cause de cette foutue tache. Parfois – rarement, mais ça arrive – un peu d'amertume refait surface et elle se laisse aller à l'apitoiement. Et chaque fois, Dave est là pour la consoler. Inversement, quand Dave est pris d'une de ses périodiques crises d'angoisse religieuse (qui sont inévitables puisque, pauvre chou, son Dieu n'existe pas), Jessica s'amène, laisse son agnosticisme au vestiaire et replace les béquilles de la foi chancelante de son amoureux. Deux êtres humains qui ont eu à souffrir peut-être plus que d'autres, en raison de choses sur lesquelles ils n'ont pas de contrôle.

J'aurais donc cru qu'ils comprendraient mieux que d'autres tout le problème de l'homosexualité. Je m'étais trompé.

Il y avait Alex, Clara, Sophie, François, Jess, Dave, Geneviève et moi. Et évidemment, la conversation a fini par bifurquer vers notre sujet favori. C'est une obsession chez nous.

Alex a ouvert le bal en annonçant d'une voix pleine de fiel :

— Vous avez entendu ? Le gouvernement a encore giflé la communauté gaie.

— Ah bon ? ai-je fait. Comment, au juste ?

— Ils ont laissé tomber leur projet de loi, a répondu François en haussant les épaules, tu sais, celui sur la reconnaissance des couples du même sexe. Il semblerait que l'opinion publique n'est pas prête à accepter un bouleversement aussi radical de l'ordre établi.

— Oh, bien sûr, *avant* les élections ils tenaient un tout autre discours, a craché Alex. Avant les élections, ils se faisaient un point d'honneur de clamer haut et fort que gouverner, ce n'est pas faire ce qui est populaire mais bien ce qui est juste. Que parfois, il faut tourner le dos à l'opinion publique, parce qu'elle a tout simplement tort. C'est avec des sottises de ce genre qu'ils nous ont convaincus qu'ils allaient tenir leurs promesses, alors qu'en réalité ils ne radotaient ce qu'on voulait entendre que parce qu'ils avaient besoin du vote gai.

J'ai vu Dave tressaillir en entendant « qu'ils *nous* ont convaincus ». Il a eu l'air pensif, puis il a manifestement additionné deux et deux. Ses yeux se sont écarquillés quelques secondes. Il s'est concentré sur son café.

— Et nous, comme des ahuris, a continué Alex, on a marché à fond. Plus naïf que ça, tu achètes le Sahara pour y planter des radis. Et maintenant, ces salauds nous servent la rhétorique inverse pour justifier leur inaction, comme si nous n'étions pas capables de nous souvenir des discours prononcés il y a moins d'un an. Ils nous disent que la majorité ne veut pas de cette loi. Qu'il faut bien accepter le jeu de la démocratie. Et dans une démocratie, par définition, comment une chose peut-elle être bonne si la majorité des citoyens n'en veut pas ?

— Justement, n'est-ce pas là une définition assez exacte de la démocratie ? ai-je demandé, un peu timidement.

— Quoi donc ?

— La suprématie de la majorité.

— C'est peut-être *une* définition, a-t-il reniflé avec mépris, mais c'est surtout une recette de guerre civile, si tu veux mon avis. Franchement, crois-tu que le Canada soit une démocratie absolue ? Non, Dieu merci. On est déjà assez dans la merde sans ajouter à nos problèmes celui d'une démocratie directe. Ta définition extrêmement réductrice et enfantine est peut-être bonne pour les militants séparatistes, mais elle ne tient pas une minute quand on l'examine d'un œil un tant soit peu critique. Écoute un peu. Tu imagines une seconde le bordel si, dans les faits, n'importe quelle décision pouvait être rendue et n'importe quelle loi promulguée, simplement parce que cinquante pour cent des électeurs plus un le désiraient ?

Je ne voyais pas le problème avec ce scénario et je l'ai dit. Mal m'en prit, car Alex a éclaté de fureur.

— Mais bon sang ! Ris-tu de moi ? Le problème, c'est que tu présumes que la majorité est intelligente ! Qu'elle n'est pas remplie à ras bord de cons qui n'arriveraient pas à trouver leur trou du cul avec une lampe de poche ! Regarde autour de toi. Promène-toi un peu. Va voir dans les universités, bon Dieu. C'est à ces gens-là que tu veux remettre le pouvoir absolu ? Et simplement parce qu'ils sont *beaucoup* ? Examine ce que la publicité arrive à faire faire à un nombre terrifiant de gens. N'importe quel politicien un peu charismatique peut arriver, s'il s'y met sérieusement, à décrocher une majorité simple à propos d'à peu près n'importe quoi. On arriverait sûrement, avec le bon slogan, à convaincre une majorité simple qu'on devrait marquer d'un tatouage les sidéens, les gais, les Noirs, les unilingues anglophones ! *Hitler* a été élu démocratiquement – il y a eu du magouillage, il y en a toujours – mais il reste que Adolf Hitler a été porté au pouvoir selon les règles du jeu de la démocratie. Après avoir écrit *Mein Kampf,* tu te rends compte ?

— Nous ne sommes quand même pas en Allemagne nazie, a protesté Clara.

— Est-ce que j'ai dit ça ? Est-ce que j'ai dit ça, merde ? Voulez-vous arrêter de grimper dans les rideaux chaque fois qu'on mentionne Hitler, même lorsque la comparaison est légitime et justifiée ! Je ne l'utilise que comme un exemple probant de la faillibilité de la démocratie. C'est l'exemple le plus frappant, nul ne peut le nier. Ce n'est pas parfait, la démocratie. C'est Churchill qui a dit que la démocratie était une très mauvaise forme de gouvernement, mais qu'on n'était pas encore arrivé à en trouver une meilleure. Et donc, nous ne sommes pas dans un régime uniquement régi par le principe de la majorité. Même si une majorité de Québécois voulait peindre en rouge les unilingues anglophones, ça ne serait pas possible. Pourquoi ?

— Euh…

Alex a à peine pris le temps de respirer. On ne pouvait plus l'arrêter.

— Parce que nous vivons dans un régime politique qui a collectivisé bien des choses, mais qui garde encore un minimum de respect pour l'individu. Un régime qui a fait bien des erreurs au nom de l'équité, mais qui reconnaît encore, du moins pour le moment, que les droits de *l'individu* passent avant ceux de la collectivité. Après tout, c'est quoi, la collectivité ? Tu l'as déjà rencontrée, toi, la collectivité ? Tu connais son numéro de téléphone ? La collectivité n'est pas une entité pensante, une sorte de grosse bibitte mouvante et ondulante, comme la plupart des gauchistes se l'imaginent. La collectivité, dans le sens populaire du terme, ça n'existe pas. La collectivité, c'est tout un tas d'individus additionnés. Les droits collectifs, ce sont les droits individuels de tous les individus additionnés. Quand on additionne des individus, en réalité, on ne fabrique pas réellement une créature composite, capable de penser pour elle-même. Non. Quand on additionne des individus, on se retrouve avec précisément cela : des individus. La collectivité est une vue de l'esprit, un mot, rien d'autre qu'une étiquette pour faciliter la conversation. Et c'est pour cette raison que nous avons instauré des mesures de protection, dont la plus importante est la Charte des droits et libertés. L'existence même de cette Charte prouve que notre société considère que certaines choses sont inaliéables, même si une majorité pense le contraire. Dans une démocratie absolue, un tel document n'aurait aucun sens, puisque le bien et le mal, le vrai et le faux ne seraient pas déterminés par une observation raisonnable des faits et de la réalité, mais bien par le nombre de voteurs qu'on pourrait convaincre. Et au Canada, on croit encore que la valeur d'une idée ne dépend pas du nombre de ses défenseurs. Franchement ! Ce n'est pas parce qu'un paquet de monde croit qu'on peut attraper le sida en serrant la main d'une personne qui transporte le virus que c'est automatiquement vrai !

Il s'est tu pour reprendre son souffle et boire une gorgée de café. Le breuvage avait sûrement tiédi. Après un discours pareil !

— Je n'avais jamais vu ça sous cet angle, ai-je dit, encore sous le choc.

Alex a souvent cet effet sur moi.

— Évidemment. Personne ne réfléchit dans ce pays de cons.

— Merci beaucoup, ai-je riposté en souriant.

— Non, non, je ne veux pas dire que toi, tu... enfin... oh, tu sais ce que je veux dire.

Geneviève a regardé Alex narquoisement.

— C'est bien joli, toutes ces petites théories sur la nature de la démocratie, a-t-elle remarqué, mais tu t'en vas où avec ça ? Tu lances n'importe quoi n'importe où n'importe comment, ou tu as une vraie conclusion dans la manche ?

Alex est resté interdit, puis il a éclaté de rire.

— J'y arrivais, merci beaucoup. Quand je décolle, moi, hein ? Ma position s'articule autour de trois points précis. Un, comme je viens de le démontrer, dans une démocratie, que la majorité soit opposée à une réforme donnée ne signifie aucunement que cette réforme n'est pas valide ou qu'elle ne doit pas être faite. La valeur morale ou la vérité d'une proposition n'est pas déterminée par le nombre de gens qui sont pour ou contre. Deux, les couples homosexuels, masculins et féminins, sont clairement victimes de discrimination au niveau de la reconnaissance légale, selon la Charte des droits et libertés. Trois, la reconnaissance légale des couples homosexuels ne fait aucun tort à personne et améliore le sort de bien des gens. Conclusion : la majorité peut être contre jusqu'à la constipation, il reste qu'elle ne serait en aucune façon lésée par cette réforme, et il est donc inacceptable que cette injustice flagrante demeure, simplement parce que l'opinion publique radote complètement.

— Je ne suis pas d'accord.

Tout le monde s'est retourné vers Dave. Je le voyais trépigner depuis un moment. Je me doutais bien qu'il allait finir par nous donner son avis. Le problème, c'est que, sur bien des sujets, l'avis de Dave n'est pas le sien : il est allé le chercher tout fait dans un gros livre qui ne ment pas, même s'il se contredit tous les deux chapitres.

J'avais espéré un peu plus d'indépendance d'esprit chez mon meilleur ami. En vain.

— Pas d'accord avec quoi ? a demandé Alex, son sourire prédateur sur les lèvres. J'ai affirmé une flopée de choses depuis quelques minutes.

— Ce n'est pas vrai que personne n'est lésé lorsqu'on reconnaît l'homosexualité comme normale. Ce n'est pas vrai.

— Normal ! Ce mot encore ! s'est écrié Alex avec condescendance. Et dis-moi, Dave, je lèse qui, quand j'aime un homme ?

Dave a montré sa croix, apparemment inconscient du tollé qu'il allait soulever. Jessica a baissé les yeux.

— Dieu. Et donc tous les êtres humains.

7

Nil inultum remanebit

— Ah, a dit Alex. Un embiblé.

Quelques rires ont fusé. Même Dave a eu un sourire fugace. Alex l'a fixé quelques secondes. Puis il a dit, un peu dérouté :

— Oh, tu es sérieux.

— Au sujet de Dieu, toujours.

Alex s'est passé la main dans les cheveux, l'air incertain.

— Écoute, tu ne vas quand même pas me servir l'argument religieux, ce n'est pas vrai, c'est une blague !

— Il faut bien que quelqu'un le fasse.

Une petite note au sujet de Dave. Il est anglophone. Pis que ça, ses parents sont américains. Lorsqu'il s'exprime, une phrase sur deux sort en anglais. Ici, par exemple, ce qu'il a vraiment dit, c'est :

— Somebody has to do it.

C'est un trait assez particulier, qui en charme quelques-uns et qui en agace beaucoup d'autres. Dans ce journal, je le fais parler entièrement en français, pour simplifier mes dialogues et conserver une certaine unité de style. Il s'agit d'une décision purement esthétique : je n'en veux pas à mon ami de parler comme il le fait. Dave, si tu lis un jour ces lignes, je te fais mes excuses. Fin de la petite note.

— Eh bien justement, laisse donc Dieu s'en occuper, alors ! s'est exclamé Alex. Si je le dérange tant que ça, qu'il vienne m'en parler un de ces soirs autour d'un café. Ça doit être un bonhomme raisonnable – Dieu le Père, quand même ! Nous allons sûrement pouvoir en arriver à une entente !

— Et pan dans les gencives, Dave ! a fait remarquer Jessica en essayant de détendre l'atmosphère.

Dave a secoué la tête en riant doucement, mais je voyais bien au fond de ses yeux qu'il était, à l'intérieur, aussi grave et sérieux que lorsqu'il prie avec son ami, l'abbé Marchesseault. Il m'a déjà dit que sa foi est comme un pilier d'acier sur lequel vient prendre place tout le reste de l'univers. C'est bien joli, et si ça l'empêche de tomber dans la déprime, c'est toujours ça. Mais ça a tout de même l'inconvénient de réduire considérablement sa marge de manœuvre intellectuelle. Je me souviens d'une discussion que nous avions à propos de... enfin, le sujet m'échappe, mais nous parlions, nous avancions, il y avait des arguments, des contre-arguments, un débat, quoi, et tout à coup, il m'est arrivé avec cette phrase extraordinaire: « Mais voyons, on ne peut pas douter de ça, Serge! C'est la Sainte Vierge qui l'a dit! » J'étais abasourdi. Évidemment, si la Sainte Vierge l'avait dit, c'était inattaquable. J'ai répliqué que J.R.R. Tolkien avait écrit que les elfes et les hobbits existent, mais que je ne m'attendais pas à en rencontrer au dépanneur pour autant. Il paraît que ce n'est pas la même chose.

— Tu peux rire autant que tu veux, Alex, a continué Dave tranquillement. Mais la Bible dit que l'homosexualité est un péché, une abomination aux yeux de Dieu. On ne peut pas accepter le péché. Ce n'est pas à Dieu de modifier ses standards de moralité. C'est à nous de nous y conformer.

Alex n'en revenait pas. Il a tourné la tête de tous les côtés, a fait mine d'écouter sa montre, l'a secouée.

— Allô? Youhou! Est-ce que je viens de passer dans un tunnel temporel? a-t-il demandé à la ronde. Est-ce qu'on est revenu en 1896? C'est révoltant d'entendre des saloperies pareilles. Écoute, Dave, tu es sûrement un gars très gentil, je te trouve plutôt sympathique, mais tu dis des conneries. Qui plus est, des conneries dangereuses. Je sais de quoi je parle. J'ai discuté avec assez d'hystériques religieux, j'ai dû me renseigner. Je connais la Bible aussi bien que toi. Probablement mieux. Il est écrit beaucoup de choses dans la Bible, Dave. Il y est écrit que la chauve-souris est un oiseau, par exemple[1]. Le Lévitique, d'où est tiré le passage sur lequel les chrétiens se basent pour condamner l'homosexualité, est bourré de petits règlements que bien peu de chrétiens suivent. Toutes les lois sur la bouffe, par exemple. Manges-tu du porc[2], Dave? Ou les trucs sur la menstruation. Laves-tu immédiatement tes vêtements lorsque tu touches à une femme menstruée, et te considères-tu impur jusqu'au soir[3]?

— Franchement, tu noies le poisson, a dit Dave. Il est évident que bien des choses dans la Bible doivent être interprétées. Le monde a changé depuis trois mille ans.

---

[1] Lévitique **11** 19.

[2] Lévitique **11** 7.

[3] Lévitique **15** 19-23.

— Pardon ? Es-tu en train de me dire qu'il y a des choses dans la Bible qui ne sont pas vraies ?

Dave a hésité.

— Non. Je dis seulement que c'est un vieux texte, il faut faire attention. Il faut le remettre dans son contexte. Il faut l'interpréter.

Alex a eu un large sourire carnassier. C'est tout juste s'il ne s'est pas frotté les mains.

— Je suis content de te l'entendre dire. En dépit du fait que le contexte de la Parole de Dieu devrait, à mon avis, être l'éternité – mais enfin, je suppose qu'on ne peut pas trop en demander –, tu as raison. La Bible ne peut être prise au pied de la lettre. Le monde, comme tu l'as si justement fait remarquer, a bien changé en trois mille ans. La question devient alors celle-ci : qui peut interpréter la Bible ? Et comment ?

Dave aurait bien voulu répondre, je crois, mais Alex ne lui en a pas laissé le temps.

— Maintenant que la Bible est accessible à tout le monde, ce qui n'a pas toujours été le cas, il est étonnant de voir à quel point les lectures en diffèrent, même à l'intérieur d'une même Église. Il semblerait que rien n'est aussi clair qu'on le voudrait, dans ce bouquin. Ça occasionne des tas d'engueulades entre croyants, qui ne sont même pas foutus de s'entendre sur ce que Dieu attend d'eux ! Ça fait bien rigoler les athées. Exemple probant : bien des gens interprètent le passage sur l'homosexualité, Lévitique **18** 22 –

je connais la référence par cœur, tu penses bien – d'une manière radicalement différente de celle du pape. Au lieu d'y voir une condamnation de l'homosexualité, ils y lisent une exhortation à ne pas forniquer.

— Dans ce cas, ils radotent, a interrompu Dave. Je l'ai lu, ce bout-là. Il est très clair. « Tu ne coucheras pas avec un homme comme on couche avec une femme. C'est une abomination. » On peut danser autour autant qu'on veut, c'est difficile de ne pas comprendre où ça veut en venir.

— N'oublie pas que ce texte a été traduit et retraduit à de nombreuses reprises, chaque fois en trahissant les travers de l'époque, et souvent absolument n'importe comment. C'est là-dessus que tu te bases pour condamner toute une portion de la population qui ne fait de mal à personne ?

— Même le traducteur le plus incompétent n'arriverait pas à trahir le sens de cette phrase-là, Alex.

— Tu ne connais pas de traducteur, c'est évident, a dit Alex en faisant la moue. Mais bon, d'accord. Personnellement, je trouve aussi le passage tout à fait sans équivoque. D'après moi, la Bible dit clairement que l'homosexualité est répréhensible. Remarque bien que la phrase ne fait expressément référence qu'à l'homosexualité masculine. Une lecture intégriste conclurait-elle donc que le lesbianisme n'est pas un péché ?

— Mais non, a protesté Dave. Pour les femmes, ce n'est pas mieux!

— Pourquoi? Ce n'est pas écrit dans la Bible.

— Ce n'est pas parce que quelque chose n'est pas écrit dans la Bible que c'est automatiquement correct. Si l'homosexualité est un péché, elle l'est pour tout le monde. C'est logique.

— Un embiblé qui me parle de logique. On aura tout vu. Dave, tu sais aussi bien que moi que la Bible n'est ni logique ni égalitaire. La femme y est constamment décrite comme inférieure à l'homme. En termes monétaires, d'ailleurs, il est possible de calculer qu'il faut cinq femmes pour arriver à la valeur de trois hommes[4]. L'homosexualité féminine n'est pas mentionnée dans la Bible parce que les auteurs du Lévitique s'en contrefoutaient, ou considéraient que les péchés que des femmes commettaient entre elles, sans que ça souille les hommes, ne méritaient pas qu'on s'y attarde. La logique! Tu ris de moi. Mais de toute façon, la question n'est pas là. Le fond de l'histoire, c'est que condamner l'homosexualité à partir de la Bible relève de la plus haute hypocrisie. Les lois du Lévitique sont présentées les unes à la suite des autres, sans ordre précis. Elles sont toutes aussi graves les unes que les autres, ou alors elles sont toutes aussi anodines. Mais il n'y a pas de loi plus importante que les

[4] Lévitique **27** 3.

autres dans ce texte. Alors, comment peut-on honnêtement justifer une attitude qui se résume essentiellement à « Nous avons décidé que manger du porc n'est pas si terrible, malgré ce que la Bible en dit, mais l'homosexualité, alors là, non non non, c'est très clair, il est écrit que c'est une abomination, on ne peut pas revenir là-dessus » ? Je crois qu'on est en droit de s'attendre à ce que Dieu ne parle pas pour rien dire. Si la Bible est vraiment la parole de Dieu, alors elle l'est d'une couverture à l'autre. Sinon, c'est trop facile. Dans un bouquin aussi touffu, on peut toujours trouver un passage qui exprimera notre opinion favorite. Je refuse de me soumettre au jugement d'une bande d'hypocrites qui ne pratiquent pas ce qu'ils prêchent. Je le refuse, Dave.

Dave a encore hésité. Il m'a regardé, l'air de dire : « Arrives-tu à croire les élucubrations de ce gars-là ? » Je n'ai rien dit. Qu'aurais-je pu dire, de toute façon ? Il y a quelques mois, je crois bien que je pensais comme Dave. Mais maintenant, je ne sais plus ce que je pense. Je ne sais même plus ce que je suis.

Tout ce que je sais, c'est que j'ai évité le regard de Dave, que je n'ai pas réagi à la question implicite dans ses yeux. Je ne voulais pas que François le remarque et pense du mal de moi. Et ça, je suppose que ça en dit plus long sur mon état d'esprit que toutes les dissertations philosophiques du monde.

— Ce n'est pas de l'hypocrisie, a finalement répondu Dave. Il faut interpréter la Bible. C'est vrai. On n'en sort pas. Mais il y a des choses qu'on ne peut pas interpréter de mille et une façons. L'immoralité de l'homosexualité, par exemple.

Alex a frissonné de dégoût. Il s'est levé à demi ; j'ai eu un instant peur qu'il ne se lance sur Dave. Il a pris le lourd cendrier de verre près de lui et l'a abattu avec fracas devant mon ami. Ça a fait un bruit épouvantable. Le café entier a sursauté.

— Parfait ! C'est à ça que tu veux jouer ?

Alex ne criait pas. Il chuchotait, mais c'était encore plus violent que s'il avait hurlé.

— Tu sais ce qu'elle préconise, ta Bible, comme punition au péché d'homosexualité ? La mort, Dave. Va voir. Lévitique **20** 13. Aucune procédure précise n'est suggérée, mais connaissant l'histoire biblique, je pense que la lapidation fera l'affaire. Vas-y. Prends ça, c'est assez lourd. Tu vas avoir à t'y reprendre plusieurs fois, mais je ne bougerai pas. Je te le jure.

Dave s'était reculé sur sa chaise. Il avait eu peur. Il a eu l'air fâché, comme si on le forçait à faire quelque chose dont il n'avait pas envie. En y repensant bien, on peut peut-être affirmer que c'est exactement ce qui se passait. Alex voulait le forcer à être conséquent, et Dave n'appréciait pas. Jessica était étrangement silencieuse. Son silence était celui de l'amour, je crois. Quand on n'approuve pas la position de la personne qu'on aime, souvent on se tait. Est-ce bien la meilleure chose à faire ? Qui sait ? Ça évite des crises à court terme. Et après tout, pour la plupart des gens, qu'est-ce que la vie, sinon réussir à s'en tirer à court terme ? Tous ces petits moments auxquels on survit... lorsqu'on les additionne, on arrive à une vie humaine. Ensuite, on meurt. Une des philosophies les plus répandues en Occident se résume à la devise « Vivre au jour le jour ». La grandeur, la sagesse, c'est peut-être de voir plus loin que les cinq prochaines minutes. D'un autre côté, une vision à trop long terme amène un risque de sclérose. À demeurer l'esprit bloqué sur un but trop lointain, on perd la faculté de s'adapter.

On ne peut pas gagner. L'univers nous ramasse à l'aller et au retour.

Dave a eu un soupir fatigué. Il a repoussé le cendrier.

— Bon, si tu veux absolument dire des niaiseries... si je me rappelle bien, le passage mentionne qu'on doit surprendre les coupables en flagrant délit, non ? Je n'ai rien vu, moi.

Alex est devenu violet, il a juré entre ses dents. Tout à coup, vif comme un coup de vent, il s'est penché vers François et l'a embrassé sur la bouche, violemment. Une seconde, François s'est débattu. Puis il a haussé les épaules et s'est laissé aller au baiser. Il semblait trouver tout l'exercice hautement amusant. Effectivement, l'air de Dave valait le déplacement. Il s'efforçait de ne pas paraître totalement dégoûté, mais n'y est pas du tout parvenu. Et toujours Jessica restait silencieuse. Le plus drôle, c'est que je viens de vérifier dans la Bible, et nulle part il n'est fait mention de la nécessité de prendre qui que ce soit en flagrant délit. Dave a inventé ça pour se défiler.

Quand les lèvres d'Alex et de François se sont séparées, ça a produit un claquement sec qui me résonne encore aux oreilles.

— Bon ! a craché Alex en faisant de nouveau glisser le cendrier vers Dave. Tu m'as surpris. François aussi, bien sûr. Tu n'as plus le choix. Tu dois nous tuer tous les deux – désolé, François.

— Si je dois mourir, a dit François en me souriant, autant que ce soit pour une bonne cause. Vas-y, Dave. Nous sommes prêts.

Nous avons tous fixé Dave. Pendant un long moment, il a soutenu nos regards avec défiance. Il a secoué la tête.

— Vous êtes cons, a-t-il soufflé.

Ses yeux se sont mis à briller. Il était au bord des larmes. Au fond, le pauvre Dave comprend très bien à quel point toute sa religion ne tient pas debout. Mais c'est sa drogue à lui.

— Maudit lâche, a laissé tomber Alex.

— Bon, ça fait, là, a tranché Jessica, couveuse. Pas la peine d'en rajouter.

— Oui, c'était de trop, ça, Alex, a dit Geneviève.

— Évidemment, quand il me traite d'abomination sans la moindre justification, c'est tout à fait correct, a dit Alex, sardonique. Mais quand je lui prouve par A plus B qu'il est lâche, tout à coup, j'ai dépassé les bornes. J'aime bien votre sens de la justice. Mais je vous dis merde. Je ne vois pas pourquoi je devrais mettre des gants blancs simplement pour ménager la foi aberrante de tous les suiveux de Dieu.

— Ça suffit! s'est écriée Jess, visiblement fâchée. Les croyants ont le droit de croire! On doit respecter leur foi!

— On doit respecter les gens qui se cachent derrière leur foi pour haïr?

— Dave ne hait personne!

Dave a mis sa main sur la cuisse de son amie.

— Jess...

— Laisse-moi te défendre! a-t-elle dit. Tu n'y arrives pas tout seul. Quand je suis tombée amoureuse de toi, je connaissais tes convictions. Alex, ce que tu refuses de comprendre, c'est que les croyants ne haïssent pas les homosexuels. Ils croient que *l'acte homosexuel* est péché.

— Comment veux-tu, a répliqué Alex, qu'un gai ne prenne pas ça pour de la haine?

— Mais tu es complètement bouché! Ce n'est pas de la haine, c'est de la compassion! De l'amour ! Dave a peur pour ton âme et il t'aime tellement qu'il veut te sauver !

— Alex, tu es en danger, a acquiescé Dave. Ton état de péché te met en danger mortel, mais tu ne le vois pas. Les croyants veulent seulement t'aider. En anglais, on dit : "Hate the sin, but love the sinner.[5]"

— Merde, merde, merde, a fait Alex, cet amour-là dit tout de même que je suis un pécheur ! Je ne suis pas un pécheur. L'homosexualité n'est pas mauvaise.

Pour la première fois, je sentais qu'Alex était sur la défensive.

— Écoute, a dit Jessica, le fond du problème, c'est que vous n'avez pas la même idée du statut moral de l'homosexualité. Là où tu es malhonnête, c'est quand tu affirmes que Dave te hait parce qu'il désapprouve ton style de vie. En réalité, toute sa démarche est basée sur l'amour. Et si tu as un fond d'intégrité intellectuelle, tu vas le reconnaître.

Alex a hésité. On voyait bien qu'il n'avait jamais eu à répondre à cet argument précis. Je ne suis pas très fier de ce qu'il a dit ensuite.

— Tout ça, c'est de la fumée, s'est-il exclamé exactement comme Stéphane, ignorant complètement ce qui venait d'être dit. Nous ne parlions pas de ça, mais bien des raisons qui font que Dave

---

[5] Haïssez le péché, mais aimez le pécheur.

refuse de suivre sa Bible comme il le devrait. Tu sais pourquoi tu n'as pas le courage de me tuer, Dave ? Je vais te le dire. C'est parce que tu sais que tu vis dans un pays où l'État et la religion sont séparés. Un pays où les individus n'ont pas le droit de se rendre justice eux-mêmes, même si Dieu est de leur côté. C'est, paradoxalement, ce qui protège les droits de l'individu, justement. Si tu me tues, tu te retrouveras accusé de meurtre, et surprise, la défense : « J'ai le droit, c'est écrit dans la Bible », n'est pas valable. Elle est même considérée comme le signe d'un esprit dérangé. Donc, tu te retiens. Tu rationalises. Tu dis, comme beaucoup de chefs d'Églises, que ce n'est pas à toi mais à Dieu de juger. C'est bien joli, mais ça pervertit complètement les préceptes on ne peut plus explicites de ta Bible. Dieu te donne non seulement le droit mais l'obligation de juger, et une fois le jugement rendu, de punir. C'est *ça* qui est écrit dans ton vieux bouquin.

— Il n'y a pas que ça ! a riposté Dave avec un sursaut de révolte. Jésus ne parle pas de juger, il parle de pardon !

— Tu admets que la Bible se contredit ? Bravo. Ciel, le grand texte sacré est totalement incohérent ! Vite, que faire ? Considérer le tout comme invalide, comme un joli bouquin de fiction, intéressant mais pas absolument fiable ? Mais non, ça serait la chose logique, tout de même, quelle idée ! Non non non. Décidons plutôt quel bout on doit suivre et ignorons la phrase contraire de l'autre chapitre. Et si le contexte change dans dix minutes, on pourra toujours se réclamer de l'autre interprétation. Après tout, c'est écrit. C'est très pratique. Juge et punis quand ça fait ton affaire, et pardonne quand un prêtre fait une horreur. Mais si ton propre pape se sent obligé de pervertir la parole de Dieu pour la rendre acceptable, Dave, c'est peut-être que cette parole n'est pas si transcendante qu'on a voulu le faire croire. L'absolu, c'est l'absolu. Pas « un peu » absolu, pas « parfois » absolu. Chaque seconde que tu laisses filer sans me lancer ce cendrier au visage démontre un peu plus que ta Bible n'est *pas* absolue.

Alex s'est arrêté. Dave ressemblait maintenant à un zombie. Il était parfaitement immobile, il ne respirait plus. Ses yeux scintillaient doucement.

Nous étions tous un peu engourdis.

Mais Alex n'avait pas fini. Il n'a jamais fini. Il est toujours comme ça. Sa vie est un interminable débat.

— Mais tu veux que je te dise ? C'est une bonne chose, cette relativisation des textes sacrés. De tout temps, la Bible a été utilisée pour justifier les pires abus. Comment te comportes-tu avec tes esclaves, Dave ? Le Lévitique comprend tout un passage sur la bonne façon de traiter ses esclaves[6]. Fascinant. Évidemment, dans ton cas,

[6] Lévitique **25** 44-46.

ça serait plutôt la bonne façon dont ton propriétaire te traiterait. Dans la Bible, l'esclavage est un concept qui coule de source, Dave. Partout, dans l'Ancien *et* le Nouveau Testament. Saint Paul ne voyait rien de mal à l'esclavage, Dave. Saint Paul ! Pas Satan ! Il en parle comme de l'ordre naturel des choses[7]. Les esclavagistes américains se servaient du Lévitique pour affirmer que non seulement ils avaient le droit de posséder des esclaves, mais qu'en plus, c'était bénéfique pour ces pauvres bêtes pas tout à fait humaines. Pourtant, malgré cela, l'esclavage est aujourd'hui universellement décrié. Étrange, tu ne trouves pas ? C'est donc que quelqu'un s'est levé et a remis en question les Écritures ! Quelqu'un a osé réfléchir. Quelqu'un a osé émettre l'opinion sacrilège que la Bible n'était peut-être pas parfaite. Et je suis sûr que cette personne s'est fait royalement emmerder par tous les petits endoctrinés mesquins qui, de tout temps, ont refusé d'assumer leurs responsabilités d'êtres humains et qui ont préféré laisser quelqu'un d'autre leur servir de conscience. Mais cette personne a fait plus pour la race humaine que tous les Messies, et certainement plus que Dieu. Elle s'est servie de son cerveau, son outil naturel de survie, pour poser un jugement moral. Elle n'a pas eu besoin que Dieu lui tienne la main. Marche tout seul, Dave. Tu ne peux pas

---

[7] Épître à Philémon 8-21.

me condamner en invoquant l'autorité de la Bible, pas plus que je ne peux l'invoquer pour justifier que tu puisses être acheté et vendu comme un chien.

C'était trop pour Dave. Il s'est levé.

— Je ne te condamne pas. C'est toi qui te condamnes, et tu refuses mon aide. Toi et moi, nous ne sommes même pas sur la même planète !

Il est parti en courant. Jessica s'est levée à son tour.

— Tes intentions sont peut-être bonnes, a-t-elle jeté à Alex, tes arguments sont même peut-être meilleurs que ceux de Dave... mais ta manière et ton mépris vont faire reculer ta cause. Souviens-toi bien de ce que je viens de te dire.

Elle a suivi son amour. Moi, je n'ai pas bougé d'un centimètre. J'avais mal au ventre, au cœur. Pauvre Dave.

— Vraiment, Alex, des fois tu ne sais pas quand t'arrêter, a dit Geneviève après un moment de silence embarrassé. Dave et Jessica sont des amis de Serge. Tu aurais pu te modérer un peu, c'est la première fois que tu les rencontres.

Alex a eut un mouvement de colère. Pour la première fois depuis longtemps, le débat lui avait échappé. Je crois qu'il se sentait un peu humilié.

— Mais qu'est-ce qui te prend, Geneviève ? C'est nouveau, cette obsession pour le protocole et les convenances.

— C'est vrai, Geneviève, a dit François avec un peu de sévérité. C'est lui qui a couru après, avec ses horreurs bibliques. C'est bien joli, la prévenance, mais il ne faut pas non plus présenter sa gorge pour la faire trancher. Et Dieu sait que les gais font ça souvent. Je suis d'accord avec Alex. Ce qui a été dit avait besoin d'être dit. Qu'en penses-tu, Serge ?

J'ai regardé au fond de ses yeux. J'y ai vu une invitation.

J'espère que je n'ai pas rêvé.

J'y ai vu l'âme de la personne que j'aime. Un homme qui réfléchit, qui se tient debout, qui sait ce qu'il fait sur la terre. Un homme entier, intègre.

Je n'ai pas rêvé. Je n'ai pas rêvé. Je n'ai pas rêvé.

Et dans ses yeux, j'ai vu mes propres yeux reflétés, et j'ai frissonné de dégoût. Mon regard était celui d'un lâche, d'un couard, d'un homme tout petit, sans conscience, car ma conscience n'est pas la mienne, je l'ai empruntée, je me la suis laissé imposer, par mon père, par les milliers de petits chuchotements qu'on entend dans les corridors et qu'on ne défie pas. Je ne sais pas encore ce qui est bien et ce qui est mal, et surtout, je ne sais pas pourquoi j'ignore cela. Je n'ai pas de sens moral, je n'ai qu'une liste de « fais ceci, ne fais pas cela » épinglée sur le cœur. Comme Dave. Mais je n'ai même pas l'excuse d'avoir souffert.

J'ai eu envie de pleurer. Comment un homme de la stature de François pourrait-il poser le regard sur moi sans réagir avec mépris ?

J'ai dit, tout doucement, la voix un peu chevrotante :

— Vous avez raison. Alex n'a pas exagéré, Geneviève. Enfin, pas dans ses arguments. C'est vrai que tu es extraordinairement chiant, Alex. Mais ce sont tes idées qu'on doit écouter. Je n'arrive pas à croire que je suis en train de dire ceci... j'ai toujours cru qu'on devrait être loyal envers ses amis.

— Pas jusqu'à l'aveuglement, a dit Alex sans se formaliser de l'insulte. La loyauté à l'injustice, ça n'a rien d'admirable.

— Ton copain n'est pas un démon parce qu'il n'aime pas les gais, m'a fait remarquer François. Mais tu n'as pas à te taire ou à cautionner ses comportements injustes au nom de ton amitié. Si tu ne dis rien, c'est qu'au fond, tu ne lui fais pas confiance.

— Non ! ai-je répliqué avec force. Ce n'est pas si simple. Rien n'est si simple. Dave est une des meilleures personnes que j'aie jamais rencontrées. Vous ne le connaissez pas comme moi. Il est bon. Foncièrement bon. Il peut bien dire ce qu'il veut sur l'homosexualité, il peut citer la Bible au complet, jamais il ne ferait de mal à qui que ce soit, même à un gai. Et en plus de cette bonté passive, il est aussi activement engagé. Il passe des heures à faire des travaux communautaires, et il est toujours prêt à aider les gens en difficulté. Si tu avais besoin de lui, Alex, il ne se détournerait jamais de toi parce que tu es homosexuel.

— Que veux-tu que je te dise ? a demandé Alex. C'est comme Stéphane, alors. Dave, personnellement, n'est peut-être pas un problème, mais son raisonnement est dangereux. Et humiliant. Ça me fait une belle jambe qu'il soit bon. Au fond, il me méprise.

— Non, ce n'est pas vrai.

Alex a haussé les épaules et a bu une gorgée de café. J'étais désemparé. Et pour aggraver les choses, Geneviève se collait contre moi, pour me consoler.

Et François qui me fixait. Il sait que je n'aime plus Geneviève. J'ai regardé le fond de ma tasse.

— Ce que Dave dit est profondément méchant, ai-je avoué. Mais il ne le sait pas, il ne le comprend pas. Je n'avais jamais remarqué. J'étais tellement occupé à voir à quel point la société lui fait payer la couleur de sa peau... je n'ai jamais remarqué qu'il n'est pas sans faille.

C'est drôle comme nos sentiments pour les gens nous empêchent parfois de bien les voir. Mon père est raciste. Dave est bigot et homophobe (le mot s'est vraiment bien faufilé dans notre inconscient si je l'utilise moi-même). Ils ont aussi d'autres choses en commun : ils ne pensent pas pour eux-mêmes et veulent imposer leur non-pensée aux autres.

Geneviève et Alex sont snobs et condescendants, et François a sûrement des tas de défauts, mais au moins, ils ne veulent pas modeler les gens à leur image. Ils laissent les autres être ce qu'ils sont, tant que personne ne fait de mal à personne.

Sur une échelle de bien et de mal, ils valent donc mieux.

8

Agnus Dei

Je suis le meilleur acteur de ma génération.

Geneviève est passée ce matin pour me demander une faveur.

— J'étais censée aller visiter l'exposition au Musée des beaux-arts avec François, mais mes parents ont besoin de moi. Une vieille tante lointaine qui fête son quarante-cinquième anniversaire de vie religieuse.

— Un bien triste anniversaire, ai-je dit en souriant.

— Tu as fini, avec ton anticléricalisme militant ? a-t-elle riposté, mais ses yeux pétillaient. Ça a donné un sens à sa vie, et elle a sûrement fait des tas de bonnes choses auprès des... des démunis et... et autres. Ça doit compter un peu, tout de même. Mais là n'est pas la question. Je dois être là, je ne peux vraiment pas me défiler. Alors j'ai pensé que tu pourrais me remplacer. Tu t'entends bien avec François, non ?

Dans le genre porte ouverte, on aurait pu difficilement trouver mieux.

Une meilleure personne aurait tout avoué. J'aurais dû prendre ses mains dans les miennes, la fixer droit dans les yeux et lui dire : « Geneviève, non seulement je m'entends bien avec lui, mais je l'aime et par conséquent, c'est fini entre toi et moi. » Ç'aurait été digne et noble.

Or, ce n'est pas ce que j'ai fait. Ben voyons.

J'ai froncé les sourcils avec un petit air contrarié, j'ai regardé le plancher, je me suis lentement passé la main dans les cheveux et j'ai fait :

— Ah hum.

Marlon Brando peut aller se rhabiller, et je pourrais donner des leçons à Roy Dupuis. Geneviève, qui décidément est bien peu perspicace à certains égards, y a cru comme un seul homme.

— Bon, je sais que c'est un peu à la dernière minute, a-t-elle continué, cajoleuse, mais j'avais promis à François, et le musée tout seul, ce n'est pas drôle. Tu t'entends bien avec lui, oui ou non? Tu n'arrêtes pas de me parler de lui.

J'ai choisi de ne pas relever cette dernière remarque.

— Oui, je l'aime bien, ai-je dit, mais tu aurais pu m'en glisser un mot... j'avais des trucs à faire, aujourd'hui...

Mensonge éhonté : mon agenda était vierge pour la journée. L'amour fait faire beaucoup de petites sottises. Avec le recul, on ne peut s'empêcher de rougir, mais au moment où ça se passe, on a à peu près autant de contrôle sur son cerveau que sur son pancréas.

— Écoute, je ne pouvais pas prévoir, a-t-elle protesté. Mais tu vas adorer, j'en suis sûr : François et toi, vous avez des goûts similaires. Et il apprécie ta compagnie. Je suis sûre que vous allez vous amuser comme des petits fous.

— Hmm.

Elle s'est approchée et m'a embrassé sur la joue.

— Ça me rendrait service, allez... tu le fais pour moi?

Je lui ai envoyé un sourire tout mince, comme si j'étais encore récalcitrant.

— D'accord, ai-je fini par dire en l'embrassant à mon tour. Pour toi.

— Tu es un ange! Tiens, je te paie l'entrée au musée.

Je ne sais pas pourquoi, mais cette petite remarque parfaitement innocente m'a mis le cœur au bord des lèvres. J'étais là à lui jouer la comédie, si empêtré dans mes sentiments que je ne distinguais même plus le bien du mal, que je m'en foutais éperdument, que je me flattais même de la facilité avec laquelle j'arrivais à lui faire avaler mes mensonges… et voilà qu'elle m'offrait de payer pour les heures qu'elle me permettait de passer avec son rival!

Je sais si bien toute la douleur que je vais lui causer. Pas aujourd'hui ni même peut-être demain, mais ça doit venir. La roue tourne et tourne.

Je me suis demandé pourquoi je restais avec elle. Quand elle me regarde et me dit «Je t'aime», les yeux vrais, je réponds encore «Moi aussi». Quand elle me prend dans ses bras et qu'elle me demande de la caresser, je la caresse encore. Quand elle se déshabille pour me faire l'amour, je me déshabille encore.

Je suis méprisable. Je suis faible.

Geneviève est pour moi comme la vieille couverture de sécurité d'un enfant de neuf ans: même si ce dernier a grandi, il ne se résoud pas à la jeter. Le monde est vaste, froid, inconfortable, instable. Instable surtout. Pourtant, la couverture reste toujours dans son coin, chaude et douce, et elle attend. Même quand on ne l'aime plus, même quand on l'a négligée, quand on revient à la maison, elle est là, elle pardonne notre ingratitude, et elle attend. On n'a qu'à la prendre et se perdre dedans en murmurant: tout va bien, tout va bien, tout va bien.

Dans un dernier sursaut de dignité, j'ai refusé que Geneviève subventionne ma trahison.

○

L'exposition que le musée présente en ce moment s'intitule *Ça ne tourne pas rond: les Cubistes 1908-1920*. Geneviève avait raison, c'est tout à fait mon genre. Personnellement, à part quelques pièces particulières, je trouve que l'art occidental n'est devenu beau qu'à partir des cubistes, quand les artistes ont cessé de vouloir faire de la photographie (ils n'en avaient plus besoin, puisque, entre-temps, la photographie avait effectivement été inventée). Picasso et Braque sont mes favoris.

François aime aussi le cubisme, ce qui ne m'étonne pas outre mesure, mais il préfère les surréalistes. C'est un mouvement qui ne m'emballe pas, car je le trouve un peu mou, un peu enfantin, et ridiculement freudien. Mais le surréalisme a tout de même produit Magritte, ce qui prouve, je suppose, que rien ne peut être complètement mauvais.

Que dire de l'après-midi ? C'était la première fois que je passais un peu de temps avec François, seul à seul. En amoureux, si j'ose m'exprimer ainsi. Il est, je crois, significatif de noter que j'ai passé une demi-heure d'agonie à me demander ce que j'allais porter – François est toujours si soigné – avant de jeter mon dévolu sur une simple combinaison pantalon foncé, débardeur et veston ample. Quand on est de mon gabarit, on porte jeans et t-shirt à ses risques et périls. Je me relis et je me trouve ridicule. Mais avant de partir de la maison, la question de la couleur de ma chemise me paraissait au moins aussi importante que celle de la paix au Proche-Orient. On ne peut pas expliquer ça.

Je voudrais bien transcrire ici mes impressions précises de l'exposition, mais je n'y ai porté que bien peu d'attention, je l'avoue sans honte. J'étais avec François.

Ma plus grande peur était, pour utiliser un barbarisme québécois, que ça ne « clique » pas. Après tout, qu'avais-je de concret à propos de cette relation, si ce n'étaient que mes propres palpitations et l'image mythique que je me fais de ce garçon depuis des mois ? Quelques minutes ont suffi à faire disparaître mes doutes et mes craintes. Ça a cliqué, que dis-je, ça a ronronné si vite et si bien et si fort que les passants ont dû nous prendre pour un groupe électrogène (ou un couple électrogène, pour être précis).

Nous avons passé des heures merveilleuses. Nous avons discuté d'art, de philosophie, de moralité, d'art encore, de médecine, de politique. Nous avons beaucoup ri. François a un sens exquis de la repartie. François est en tout point exquis. Et je n'avais jamais remarqué comme il sent bon. Je ne suis peut-être pas très objectif. Mais quand on est amoureux, l'objectivité, on s'en fout.

En me remémorant l'après-midi, je me rends compte d'une chose étonnante : j'aurais pu passer les mêmes heures, à parler à peu de choses près des mêmes sujets, avec Geneviève. Une seule différence, mais quelle différence : j'aime François, je n'aime plus Geneviève. De nouveau, je suis frappé par le fait que mon aventure n'a presque rien à voir avec mon orientation sexuelle, et tout à voir avec l'amour.

Nous sommes allés manger dans un petit restaurant vietnamien. J'aime bien la nourriture vietnamienne. C'est moins mauvais pour la santé que le poulet frit, et les portions de riz sont si énormes qu'on a tout de même l'impression de bouffer comme un porc. Mon problème, ce n'est pas tant que j'aime beaucoup manger, mais plutôt que j'aime manger beaucoup. Un psychanalyste aurait sûrement un plaisir fou à découvrir pourquoi.

François m'a versé une tasse de thé, puis s'est lui-même servi, manipulant la théière avec grâce et économie de mouvements. Il y a un petit quelque chose d'asiatique dans sa façon d'être. C'est charmant. Nous avons bu lentement, en laissant la vapeur nous envelopper et nous déboucher les sinus. Je suis toujours dérouté par la sensation d'une tasse de thé fumant dans mes mains, ce mélange paradoxal de clarté d'esprit et d'onirisme.

— Quand vas-tu le dire à Geneviève? a-t-il soudain laissé tomber.

Dans un livre, j'aurais probablement laissé échapper ma tasse. Je me suis contenté d'un « Hein? » interloqué de la vraie vie.

— Tu ne peux plus garder ça pour toi, Serge, a-t-il continué comme si j'avais répondu intelligemment.

— Quoi?

— Ne fais pas semblant. Tu n'aimes plus Geneviève.

J'ai eu envie de me pincer.

— Mais… qu'est-ce qui te fait dire ça? Évidemment que j'aime Geneviève.

— Si tu veux, a-t-il dit avec une moue incrédule, mais alors tu es amoureux de deux personnes en même temps. Ça doit être inconfortable.

Bien sûr, à ce moment, j'ai tout su, j'ai tout compris, j'ai tout pressenti, et mes doutes ont disparu.

Je suis écrivain. Ma seule ambition est de laisser de la beauté derrière moi. Je voudrais décrire les moments qui ont suivi avec des répliques brûlantes et poétiques, un dialogue de passion shakespearienne, de grandes déclarations qu'on examinera encore dans cent ans à l'université. Un jour, je le ferai peut-être, si j'en suis capable. Mais ceci est un journal.

Ma deuxième déclaration d'amour s'est résumée à ces sept mots, murmurés tête baissée :

— Non. Je n'aime pas deux personnes.

C'est tout.

À ce moment, François et moi existions ensemble.

Les petites formules un peu maladroites n'excluent pas les grands sentiments. À bien y réfléchir, je crois qu'il serait plus facile de simuler de longs discours enflammés que de décrire avec exactitude et empathie l'état dans lequel François et moi nous trouvions.

Il riait tout doucement. C'était comme des galets qui roulent sous la pluie. Moi je ne disais rien. Je pense que j'avais perdu la voix.

— Tu sais, j'ai tout fait pour m'empêcher de penser à toi autrement que comme l'amoureux de Geneviève, a-t-il dit. Je la connais depuis longtemps. Je l'aime beaucoup, c'est une fille vraiment bien. Elle mérite son bonheur.

J'ai hoché la tête, le cœur serré. C'était bien le temps d'évoquer Geneviève! Comme si je ne me sentais pas déjà assez coupable.

— J'en ai parlé à Alex, a continué François. Il n'est pas toujours facile, l'Alex, mais il a une tête sur les épaules. Tu sais ce qu'il m'a dit? «Il y a une différence entre sciemment voler un cœur déjà pris et un bête coup de foudre mutuel.» Il a tout compris, Alex. Dès notre première rencontre, au café. Il avait l'air complètement absorbé par sa discussion, mais c'est du cirque, tout ça. Ses débats moraux, il pourrait les avoir en dormant – il en rêve sûrement tous les soirs. Pendant qu'il enfonçait Stéphane dans la poussière – pauvre Stéphane, il n'a vraiment rien vu venir, hein? –, Alex observait. Il nous observait.

Je me faisais un peu l'effet d'un rat de laboratoire, dont les moindres comportements sont scrutés par un scientifique, dans ce cas-ci un scientifique aux cheveux décolorés et qui ressemble à David Bowie.

— En gros, il m'a conseillé de ne rien faire. De laisser faire. De prendre mon mal en patience, quoi. Et si rien ne s'était passé, j'aurais été le seul à souffrir un peu; Geneviève n'aurait même jamais rien su.

Il a ri encore. Pour la première fois de ma vie, j'ai compris ce que l'aviateur ressentait quand il entendait le Petit Prince rire.

— Mais quelque chose s'est passé, non ? a-t-il continué. Entre deux personnes, il n'y a jamais de véritable évolution. Je me trompe peut-être. En tout cas, ç'a toujours été mon expérience. Pas d'évolution. Seulement des moments. Des... frontières. Non, ce n'est pas la bonne image.

— Des portes ? ai-je murmuré.

Ses yeux se sont éclairés.

— Des portes. Très juste. On reste dans une pièce pendant... pendant longtemps ou non, ça n'a pas d'importance, on est là, dans une pièce précise, et quand on se rend dans la pièce adjacente, on le fait d'un seul coup. C'est instantané. Une minute là, puis une seconde plus tard, ici. On n'est jamais à cheval sur le pas de la porte. Seulement d'un côté ou de l'autre.

Je n'en croyais pas mes oreilles. On aurait dit que c'était moi qui parlais. Évidemment, une fois écrites, les paroles de François ne sont plus vraiment les siennes. Je ne me souviens pas des mots exacts, je brode, j'y mets du mien. Mais le coup des portes, c'est très très près de certains de mes thèmes favoris. J'ai trouvé ça troublant.

— Je crois que cet après-midi, nous avons changé de pièce, tous les deux, tu ne penses pas ? a conclu François, un peu timide.

Je me suis redressé. Cette phrase avait agi sur moi comme un fouet, comme un coup de *kyosaku,* ce bâton de bois avec lequel les maîtres zen frappent parfois très violemment leurs disciples, pour déclencher l'éclat de compréhension-sans-compréhension (le langage zen ne se distingue pas par sa clarté). Quand on est englouti dans un marécage boueux, englué de toute part dans des ténèbres poisseuses, on ne peut pas savoir qu'on n'est en réalité qu'à quelques centimètres de la surface. Il ne manque qu'une toute petite poussée pour nous éjecter dans un nouveau monde de lumière. Quelques mots. Si on ne les entend jamais, on est condamné à l'obscurité... et inversement, après les avoir entendus, on ne peut plus jamais retourner à l'obscurité. Il n'y a pas d'entre-deux.

François et moi avons changé de pièce, et la porte s'est verrouillée – non, la porte a disparu. Ma pauvre Geneviève est restée derrière. Elle ne pourra plus jamais nous rejoindre. Elle est toute seule dans la pièce « Serge aime Geneviève », et moi je suis dans la pièce « Serge aime François ».

Entre les gens, il n'y a pas d'évolution.

Nous avons mangé dans un silence assourdissant. À la fin du repas, presque sans m'en rendre compte, tout naturellement, j'ai voulu prendre la main de François dans la mienne. Il l'a retirée d'un coup sec, dès que mes doigts ont touché les siens, comme s'il venait d'effleurer des braises.

— Pas ici ! a-t-il soufflé, le regard réprobateur.

Des larmes dans mes yeux ? Presque. Il a vu mon visage désemparé, sa voix s'est adoucie.

— Je suis désolé. Un réflexe. Une relation comme la nôtre comporte ses propres codes. Tu n'as pas eu le temps de les apprendre. Tout ça, c'est nouveau pour toi. Chez moi, tout sera plus simple.

Je n'ai rien dit. Tout à coup, j'ai compris l'amertume, la rage d'Alex. J'avais l'impression qu'on m'avait craché au visage. J'aurais juré que toute la salle nous observait en pinçant le nez. Ça me donnait envie de vomir. Nous avons terminé notre repas sans plus rien dire, mais ce n'était plus le même silence. Le moment était gâché. J'en aurais pleuré.

Et tous ces gens autour de nous qui ne voyaient même pas l'injustice qu'ils venaient de commettre. Parmi eux, combien auraient mal réagi en voyant deux garçons se tenir la main pour se dire je t'aime ? La plupart auraient été curieux, probablement, mais combien auraient été véritablement choqués ? Peut-être dix, peut-être cinq, peut-être un. Peut-être tous. Peut-être aucun. Mais François n'a pas osé prendre le risque de le découvrir. La possibilité d'un seul homophobe (ce mot encore !) dans la salle l'a fait me repousser, tout de suite après m'avoir avoué son amour. Sa réaction a été comme un rideau qui se déchirait. Soudain, je ressentais la honte, l'embarras, la peur sourde qui est le lot des homosexuels, jour après jour après jour après jour. Le conditionnement au secret, la discrétion maladive.

C'est révoltant. Je comprends pourquoi, mais c'est révoltant. Et le plus révoltant, c'est que je ne questionne pas cette attitude. Je l'ai embrassée sans broncher, parce qu'elle coule de source. Le Québec de la fin du vingtième siècle est encore, en général, terrain ennemi pour les gens comme moi.

J'aime un garçon.

Je suis homosexuel.

Même si je n'en suis pas sûr. Même si je ne sais pas s'il me serait possible d'aimer un *autre* garçon. Même si je ne peux nier les sentiments que j'ai eus pour Geneviève. Quand j'aimais Geneviève, étais-je homosexuel ?

L'homosexualité, est-ce que ça existe ?

La question n'est pas aussi idiote qu'elle en a l'air.

L'orientation sexuelle, ça existe ? Pourrait-on plutôt parler d'orientation amoureuse ? Ces termes sont-ils interchangeables ? J'y ai beaucoup réfléchi depuis quelques semaines. Mes conclusions sont encore nébuleuses ; j'ai tellement de défrichage culturel à faire, mais je me surprends déjà.

S'il y a vraiment des gens qui sont incapables de contempler la possibilité d'une relation avec une personne du même sexe… s'il y a vraiment des gens qui sont incapables de s'imaginer dans le lit d'une personne du sexe *opposé*… s'il y a vraiment des gais et des straights, et qu'ils n'ont pas le choix, et que leur vie amoureuse s'en trouve donc automatiquement restreinte, réduite, diminuée à une seule moitié de l'espèce humaine… je crois bien que je les tiens en pitié. Leur loi est claire : tu n'aimeras que des membres de ce groupe précis. L'amour envers ceux d'en face s'appellera amitié. Tant pis si ç'aurait pu être plus. Ces hémi-individus vivent au milieu d'une humanité scindée, tranchée au hachoir à viande. Au hachoir à viande, parce que leur vision leur dit que l'humain n'est que ça : du sang, des muscles, des os, un pénis, un vagin. Ils nient que l'humain est une créature consciente. Ils nient qu'ils sont humains.

À la lumière de ces raisonnements, la question « suis-je homosexuel ? » perd presque tout son sens. Certainement, mon amour pour François m'obligera à des *comportements* homosexuels, mais est-ce la même chose ? Non, puisqu'il n'y a pas si longtemps, mon amour pour Geneviève signifiait des comportements hétérosexuels, et je me battrai à mort contre quiconque osera affirmer que je n'étais pas sincère.

Toutes ces considérations ne sont pas inintéressantes, mais peut-être ne s'agit-il que de vains débats sémantiques. Je ne sais pas.

Il reste qu'en pratique, *dans la vraie vie,* je suis homosexuel et je le resterai tant que j'aimerai un homme (et on me pardonnera de vouloir croire que cet amour durera jusqu'à la fin de mes jours, ce qui fixe mon orientation sexuelle à jamais). Personne d'autre ne se poserait de questions. Malgré tous mes doutes, malgré tous mes raisonnements, pour tout le monde, mon état est clair. Mon état. Je le vis déjà comme une maladie. Parce que personne ne veut me laisser tranquille avec mon amour.

Qu'ils mangent donc tous de la grosse câlisse de marde, les tarbanaques de sales.

Je peux l'écrire, mais oserais-je le dire aux tabarnaques de sales? Oserais-je le dire à mon père?

— Mauvaise idée, m'a dit François, plus tard dans la soirée.

Nous étions revenus chez lui. Il a un petit quatre et demie avec un copain (hétéro) dans le quartier Côte-des-Neiges. Le colocataire était parti dormir chez son amie, et nous avions donc l'appartement à nous tout seuls pour la soirée. J'étais nerveux. Je suis heureux de pouvoir écrire qu'il l'était aussi. J'ai mon orgueil.

Il avait raison, mon François. C'est vrai qu'au secret de son appartement, les rideaux tirés, les lumières tamisées, la porte verrouillée, on se sentait beaucoup mieux. C'était comme un coffre-fort de tranquillité, de tendresse, de défi aussi. Il a mis l'avant-dernier disque de Pulp, *Different Class*, mais en le programmant pour laisser tomber les chansons trop énervées. J'adore ce groupe. Les paroles sont comme des claques, une baffe, une autre, une autre, puis tout à coup, un moment de douceur… et à l'instant où on s'y attend le moins, le chanteur nous envoie un coup de pied dans les dents. Tout ça sur une drôle de musique mi-avant-garde, mi-disco-quétaine. Étrange.

— Très mauvaise idée, a-t-il répété en me fixant avec gravité. Attends un peu, au moins, avant de dire quoi que soit à tes parents.

— Pourquoi ? Tu n'es pas sûr de toi ? Tu crois que ça risque de s'écrouler, nous deux ?

Il est resté silencieux.

— Moi, je suis sûr de ce que je ressens, ai-je affirmé avec la conviction de la frustration.

Il m'a souri. Il m'a enfin pris la main. J'ai fondu, et pourtant...

Je savais qu'il faisait ça avec sincérité, mais malgré moi, j'y ai vu une certaine hypocrisie. Il avait attendu d'être bien à l'abri avant de se laisser aller, et je trouvais ça un peu lâche. Je ne veux pas d'un amour furtif. Je ne veux pas me comporter comme s'il était évident que notre relation est une insulte à la morale universelle. Elle l'est peut-être, mais ce n'est *pas* évident.

Si François m'aime, c'est forcément qu'il voit en moi quelque chose d'exceptionnel. Que je sois d'accord ou non est sans intérêt – c'est mon problème, et après tout, il n'est pas dit que François se considère digne de l'image que j'ai de lui. Alors, en tant que personne aimée, est-ce que je ne mérite pas quelques risques ? Est-ce que je ne mérite pas un baiser en public ?

— Moi aussi, je suis certain de mes sentiments pour toi, a-t-il soufflé. Écoute, ça fait des semaines que j'attends nos rencontres presque sans respirer. Et quand nous sommes en groupe, je ne voudrais parler qu'à toi. Je suis jaloux du temps que tu passes avec Geneviève, avec Alex, avec n'importe qui. Je veux être ton seul centre d'intérêt. Je n'ai jamais tant lu que depuis que je te connais, Serge. Tu es si cultivé… et moi, je veux t'intéresser, te fasciner, t'éblouir… alors je prends le temps que je devrais consacrer aux études, et je lis Boris Vian et Marcel Aymé et Anthony Burgess, pour pouvoir te suivre. Tu sais que tu es responsable du premier B que j'ai eu cette année ? J'en ai hurlé. Une longue lignée de A+ qui vient de s'écrouler, parce qu'au lieu de faire de la bio, je potassais *L'Écume des jours.* Mais maintenant, mon B est devenu ma note préférée. Penses-y : c'est la note qui m'a valu Serge Brochu.

Il a éclaté de rire. Moi j'avais peine à respirer. Il me fallait consciemment déclencher chaque inspiration, chaque expiration.

— Je devrais peut-être faire encadrer ma copie de test, a-t-il dit.

Puis il est redevenu sérieux :

— Mes études, c'est ma vie, Serge. Si tu passes devant, ne serait-ce que le temps d'un examen de bio, c'est que je n'arrive plus à contenir ce que tu représentes pour moi. Je ne peux plus te mettre dans le classeur du fond, dans ma tête, pour t'en ressortir lorsque ça sera plus pratique. Tu es devenu trop important. Trop urgent. Tu comprends ?

Il me disait des choses que j'avais moi-même écrites dans ce journal il y a quelques semaines ! Existe-t-il quelqu'un sur cette planète qui aurait pu mieux le comprendre ? J'ai hoché la tête, très impressionné.

Nous avons eu un moment de grâce, cadenassés l'un à l'autre par nos regards. Et comme une flatulence dans une eau claire, ma révolte a ressurgi.

— Non, je ne comprends pas. C'est quoi, notre amour, si tu n'oses même pas me le montrer ?

Il a eu l'air surpris. Visiblement, il ne me suivait pas.

— Mais je te le montre, là. Tu ne sens pas mes sentiments pour toi ? Qu'est-ce que tu veux, que je t'arrache tes vêtements tout de suite ? Je nous voyais avancer plutôt doucement dans cette direction, mais si tu y tiens, je n'ai pas d'objection.

Il m'a lancé un petit regard aguicheur et s'est approché.

Je n'aurais pas dit non.

Je ne dirai pas non, plus tard.

Mon corps a réagi de façon tout à fait positive. Pas de haut-le-cœur ni de nausées. François est tellement beau. Mais à ce moment-là, je n'avais pas envie d'explorer cet aspect de notre relation. Un peu comme au début, avec Geneviève. Ce que je voulais plus que tout, c'était simplement le prendre dans mes bras, enfouir mon visage dans ses cheveux... lui murmurer « je t'aime », avec inquiétude, comme on saute par-dessus un ravin, parce qu'on n'est jamais tout à fait sûr de la réponse, parce que c'est un risque à chaque fois... et surtout, surtout, entendre dans un souffle à mon oreille : « moi aussi ». Deux mots qui déclenchent chez moi une tempête d'âme plus épuisante et satisfaisante que le meilleur orgasme. Car après tout, la seule chose qui permet de différencier une éjaculation d'une autre, c'est la personne qui en est la cause.

Alors François a fait quelque chose d'extraordinaire. Il a ouvert les bras, tout doucement. J'étais un peu gêné, tout de même, mais je me suis pressé contre lui et j'ai posé la tête sur son épaule. Ses mains se sont croisées dans mon dos.

Puis j'ai senti ses lèvres près de mon oreille, et il a chuchoté :

— Je t'aime.

Et c'est *moi* qui ai répondu :

— Moi aussi.

9

Salva me, fons pietatis

Tout est fini entre Geneviève et moi.

Tout.

Et je ne sais pas comment je me sens. Je ne sais pas si je suis soulagé ou révolté. J'avais un poids immense sur les épaules, qui s'appelait Geneviève. Maintenant que nous ne sommes plus ensemble, j'ai encore un poids immense sur les épaules. Et il s'appelle encore Geneviève. J'ai seulement échangé mes bagages : la malle « comment lui dire ? » pour la malle « comment ai-je pu lui faire ça ? » Puis je pense à François, et je m'envole. Et je me sens coupable de tant de bonheur, et ça me rend très malheureux. J'oscille ainsi sans arrêt, comme un de ces petits sous-marins de plastique remplis de bicarbonate de soude ; plonge, fait surface, replonge, refait surface.

Je crois qu'au fond de moi, je souhaitais, j'espérais réussir à sauver les meubles, si j'ose m'exprimer ainsi, mais j'ai tout perdu. On ne peut même pas dire que c'est comme si Geneviève et moi ne nous étions jamais rencontrés, puisque c'est pire : un substrat amer de larmes et de trahison nous relie encore, et nous ne pourrons probablement jamais nous en défaire. Une absence n'est rien ; un départ est beaucoup. Pour Geneviève, j'en ai peur, beaucoup trop.

Ça ne s'est pas du tout déroulé comme je l'aurais imaginé. C'est à vous dégoûter de vouloir écrire autre chose que du fantastique et de la science-fiction. Le roman réaliste, c'est un mythe. Une grosse blague. Un mensonge pour faire plaisir aux écrivains, à ces auteurs si prétentieux qu'ils ne voient plus rien et qui s'imaginent pourtant être de fins observateurs. La vie n'est *jamais* comme un roman, et réciproquement. Si je peux retirer quelque chose de positif de toute cette horreur, c'est d'avoir compris cela maintenant, à l'aube de ma carrière. Ça devrait m'éviter d'avoir l'air d'un vieux con si je suis d'aventure invité chez Pivot.

J'avais promis à François de parler à Geneviève aujourd'hui. Nous n'avons plus à nous sentir coupables. Nous n'avons rien fait pour en arriver là. C'est le hasard qui nous a fait nous rencontrer, et cette seule rencontre contenait tout le reste. Notre relation s'est imposée d'elle-même, elle a pris toute la place. Geneviève doit se pousser hors du chemin. C'est triste, mais ne rien dire est pire.

D'abord, je voulais la rencontrer dans un endroit neutre, un restaurant où nous n'étions jamais allés ensemble, par exemple. J'espérais réduire ainsi les éclats, et puis, ça aurait facilité mon repli stratégique. Mais non. Geneviève devait rester chez elle, pour étudier. Jolie perspective que celle de briser notre relation dans la même chambre où nous avons si souvent fait l'amour. Et ses parents étaient à la maison. J'allais boire cette coupe jusqu'à la lie.

Bien sûr, Geneviève ne se doutait de rien du tout. Elle est bien la seule. Quand elle m'a vu entrer, elle a interprété ma mine déconfite n'importe comment.

— Dis donc, tu travailles trop, toi ! s'est-elle exclamée. Tu as l'air épuisé.

Coquette, elle a tapoté le bord du lit.

— Viens. Je vais te faire un massage au sujet duquel tu vas écrire une saga. J'ai emprunté quelques bouquins à la bibliothèque. J'ai hâte de me pratiquer sur un modèle vivant. Allez, cobaye, on s'étend et on enlève son chandail.

— J'aimerais mieux pas, ai-je répondu en essayant de sourire.

— Ah ? a-t-elle dit avec surprise. C'est nouveau, ça.

— Oui et non.

Elle a froncé les sourcils et m'a bien regardé, longtemps. Elle a commencé à saisir que quelque chose n'allait vraiment pas. Sa voix a pris une drôle de teinte : de la nervosité, de l'appréhension et un peu d'hostilité sur un fond d'amusement, car elle espérait toujours que je ne fasse que blaguer.

— Comment, oui et non ? C'est quoi, ça, oui et non ?

J'aurais tué pour un verre d'eau.

— Oui, c'est nouveau, puisque je ne t'en ai jamais parlé avant aujourd'hui... et non, car ça fait déjà un petit moment que... que ça... me met mal à l'aise.

Elle a déposé son cahier à ses pieds. Puis elle s'est levée, s'est approchée de moi, lentement. Elle a tendu les bras. Elle m'a vu hésiter. Ses yeux se sont écarquillés.

Moi, j'ai dit :

— Geneviève, j'ai quelque chose d'important à te dire.

Elle s'est mise à pleurer. Instantanément. Comme un film auquel il manquerait quelques secondes. Des larmes énormes, qui coulaient comme de la cire le long d'une chandelle, de chaque côté de son nez, dans sa bouche, dans son cou. Un son ténu sourdait de sa gorge, haut perché, sifflant. C'était très doux, mais je le sentais cisailler mes tympans.

J'aurais dû la prendre dans mes bras, la consoler, la laisser pleurer dans mon cou. Dire quelque chose, au moins. Lui expliquer pourquoi elle sanglotait.

Mais elle était debout devant moi, complètement immobile, et elle pleurait en me fixant droit dans les yeux, et j'avais l'impression qu'elle ne reprenait même pas son souffle. J'ai frissonné. Sa réaction avait un petit quelque chose d'onirique, de surréaliste, qui m'angoissait. Pendant quelques secondes, j'ai cru que j'allais me réveiller. Quand j'ai voulu aller vers elle, mes jambes m'ont trahi. Je n'ai pas bougé. S'entremêlant à mon sentiment de presque frayeur, il y avait aussi, je l'avoue avec honte, une bonne dose de curiosité. Je trouvais – je trouve encore – étonnant d'être la cause d'un tel débordement. Le Serge Brochu qui me regarde tous les matins dans le miroir de la salle de bains ne me semble pas le genre de bonhomme qui devrait provoquer des crises de passion à gauche et à droite. Je n'ai tout simplement pas la gueule de l'emploi. Une partie de moi regardait donc Geneviève avec intérêt, et ressentait une certaine fierté terne à la voir perdre complètement le contrôle de cette façon quasi obscène, *par ma faute.* L'être humain peut vraiment être une saloperie.

L'échine douloureusement raide, le visage neutre parce que je n'arrivais pas à décider comment je me sentais au juste, je me suis tenu ainsi devant elle pendant un bon moment, sans rien dire ni faire, à la regarder souffrir. Après tout, qu'aurais-je pu faire d'autre?

— C'est qui? a-t-elle finalement hoqueté, la voix déformée, éreintée.

Les larmes s'étaient taries, mais on pouvait encore en voir les traces en stries brillantes sur son visage.

— Ah, tu as compris, ai-je répondu plutôt stupidement.

Elle a eu un grognement de colère.

— Évidemment que j'ai compris! Je suis conne, je suis aveugle, mais même moi je finis par y arriver! Tu me quittes pour qui? Je la connais?

— Tu le connais.

— J'espère qu'elle est sympathique, au moins! s'est-elle écriée en se remettant à sangloter – elle parlait vite, rageusement, sans réfléchir. Et brillante. Et cultivée. Tu ne m'aimes plus, d'accord, mais il ne faudrait tout de même pas que tu te lances dans les bras d'une idiote que je ne pourrais pas apprécier! Si elle n'est qu'une connasse, qu'est-ce que ça dit à mon sujet, hein?

Je t'aime trop pour être capable de te voir avec quelqu'un qui ne te mérite pas, Serge Brochu ! C'était la première fois que je tombais vraiment amoureuse, et je t'aime encore, et si elle te fait de la peine je vais la tuer.

Elle divaguait complètement. Elle a continué comme ça, en m'ignorant, elle crachait tout ce qui lui venait à l'esprit, sans aucun tri. C'était un ménage par le vide. Je l'ai laissée délirer. Au fond, j'avais pitié d'elle. Les relations humaines sont tellement mal foutues. On est toujours en train de faire mal à quelqu'un. On ne le comprend pas toujours, mais je suis prêt à parier que le moindre geste qu'on pose – que ce soit devenir amoureux, choisir une université ou lacer ses souliers – finit toujours par avoir des conséquences épouvantables pour quelqu'un, quelque part. Le malheur des uns fait le bonheur des autres, d'accord, mais le proverbe est mal formulé. En réalité, c'est le bonheur des uns qui demande le malheur des autres. Pour chaque personne heureuse, il doit y en avoir dix qui pleurent. Pour chacune de mes respirations, il y a dix cris de douleur, quelque part sur la planète.

Parfois, on est parfaitement au courant que son bonheur exige de causer de la douleur autour de soi. Ce n'est pas facile.

Mais que faire, alors ? Se taire, ignorer sa joie potentielle, supporter sa détresse pour éviter d'en causer à d'autres ?

C'est ce que Dave me dirait de faire. C'est le message des Évangiles.

Quelle sottise. Dans un système pareil, le seul résultat possible est le malheur d'absolument tout le monde, puisque le seul bonheur acceptable, c'est celui de *l'autre.* D'ailleurs les Évangiles vont encore plus loin dans la connerie : non seulement on devrait se rendre misérable pour les gens qu'on connaît et qu'on estime, mais en plus, toute la floppée d'inconnus et d'ahuris qui se bousculent à tous les coins de rue sont en droit de s'attendre à ce qu'on se conduise en carpette pour leur bonheur. S'oublier, tendre l'autre joue, se sacrifier.

De la marde. Je n'ai qu'une seule vie – enfin, je n'ai aucune raison valable de croire autre chose – et je refuse de la vivre pour les autres. Je ne veux de mal à personne. J'essaie de minimiser la douleur dans mon sillage. Mais je ne peux pas m'empêcher de vivre. De toute façon, je soupçonne que tous les beaux sacrifices qui mortifient tous ces croyants héroïques dont Dave me parle n'en sont pas vraiment. La seule raison qui pousse les chrétiens à accepter un code moral aussi inhumain que celui des Évangiles est qu'ils ont justement la conviction qu'ils ont plus d'une vie (malgré l'absence totale de témoignages indépendants et de preuves vérifiables et reproduisibles), et qu'à la fin de celle-ci, plus ils auront réussi à se rendre malheureux, plus leur récompense sera impressionnante de l'autre côté. Les premiers seront les derniers, *beate pauperes spiritu*[8] et tout le reste de ces niaiseries.

Je ne voulais pas faire de mal à Geneviève. Elle est mon premier amour. Mais je n'ai pas eu le choix. Je n'ai pas eu le choix. Je n'ai pas eu le choix.

Après un long moment de dérapage, elle s'est tue. Elle venait enfin de saisir le mot le plus important de notre conversation et la surprise avait soudain fait cesser ses pleurs.

— Je *le* connais ?

J'ai hoché la tête.

— C'est toi qui me l'as présenté, ai-je murmuré.

Elle a hésité. Puis la seule réponse un peu plausible lui est venue à l'esprit.

— François ? Tu parles de François ? Tu me quittes… pour François ?

— On s'aime, Geneviève. Depuis le premier regard. On n'y peut rien.

Elle s'est rassise sur son lit, les jambes coupées.

— Tu es gai ?

— Je ne sais pas, ai-je dit très honnêtement.

J'aurais voulu lui confier mes doutes et mes questions, lui expliquer mes théories.

— Ce n'est pas le temps de te foutre de moi ! a-t-elle rétorqué avec fougue. Vous vous aimez

---

[8] Bienheureux les pauvres en esprit.

depuis le premier regard ? Tu te sens comme ça depuis des *semaines* et tu ne m'as jamais rien dit ?

— Rien n'était sûr, j'étais confus... ce n'est qu'hier que...

— Hier ? Au musée ? À l'exposition à laquelle je t'ai expressément demandé d'aller avec François ?

Elle a levé les yeux au ciel.

— Comme dinde, je suis la championne ! Je t'ai même offert de te payer l'entrée. Et tout ce temps-là...

Sa tristesse s'était muée en colère, en furie devant la trahison. J'ai fait quelques pas vers elle, mais ce n'était plus le moment, bien sûr.

— Ne t'approche pas de moi ! m'a-t-elle rageusement lancé. Tu es fier de ton coup, maintenant ? Ah, tu m'as bien eue. J'ai marché comme la pire des épaisses. J'y ai vraiment cru, à tes histoires. Tes poèmes, tes lignes pleines de passion pour moi. Je trouvais que tu écrivais si bien – c'est vrai que tu écris bien – mais moi – moi – je croyais que tu écrivais pour moi, *pour moi.* Que je t'inspirais. Que j'étais... ta muse....

Elle s'est remise à pleurer mais doucement, cette fois. Et la colère était déjà repartie.

— Et ça rendait tes textes encore plus beaux, tu comprends ? Parce qu'en plus de la beauté que tout le monde pouvait y lire, il y avait celle dont personne d'autre ne pouvait soupçonner l'existence. Le petit peu de moi, au détour d'une phrase. Et maintenant tu me dis que tout ça, ce n'étaient que des exercices de style!

— Mais je n'ai jamais dit ça! ai-je protesté pour me défendre. Qu'est-ce que tu inventes, Geneviève? Mes textes étaient sincères. Ils le sont encore. Je t'aimais vraiment.

Elle a ricané.

— Moi, j'invente? Je tombe amoureuse d'un gai qui fait semblant de m'aimer pour ne pas regarder la réalité en face, et c'est moi qui invente?

Elle ne comprenait rien.

— Ce n'est pas ça du tout! me suis-je écrié, horrifié. Ce n'est pas comme ça que ça s'est passé!

— Maintenant, je comprends mieux ton discours vaguement homophobe du début, continuait-elle sans m'écouter. Typique de l'homosexuel incapable de s'assumer. On n'arrive pas à supporter sa vraie nature, alors on la décrie, on l'injurie, on lui bave dessus. Et on fait semblant d'être autre chose. Est-ce que ça t'a plu, ta vie d'hétéro? Je t'ai bien fait te sentir normal? Es-tu satisfait des services rendus? Dans le fond, je devrais peut-être te remercier. Grâce à toi, j'ai vécu le grand amour pendant des mois. C'est plus que bien des gens. Ce n'était pas vrai, bien sûr, mais je ne le savais pas, alors qu'importe?

— Geneviève, merde!

Elle me dévisageait avec une expression extraordinairement cruelle. Je n'avais jamais rien vu de semblable sur son visage auparavant.

Elle a ouvert les jambes, lentement, et elle s'est langoureusement passé les mains sur les seins. Sous mon regard incrédule, elle a fait rouler ses mamelons entre ses doigts, à travers le tissu de sa blouse.

— Quand tu m'as baisée, a-t-elle chuchoté d'une voix rauque, as-tu réussi à bander en me voyant toute nue, ou bien as-tu eu à fantasmer sur un gars ? As-tu réussi à te prouver à toi-même que tu étais un homme, un vrai ? Même si c'était seulement pour un moment ?

— Geneviève, arrête !

J'avais presque crié. C'était comme si on m'avait jeté du vinaigre dans une plaie ouverte. J'ai franchi les quelques pas qui nous séparaient. J'étais bouleversé, fou de culpabilité, de honte, de tristesse, de colère. Je l'ai prise dans mes bras, je l'ai serrée contre moi en lui murmurant à l'oreille :

— Arrête, arrête tes sottises, tu me fais mal, j'étais sincère, Geneviève, je ne t'ai jamais trompée, je t'aimais, mes poèmes n'étaient pas que des excercices de style, tu es vraiment dans chaque image, entre les mots, quand nous avons fait l'amour, je l'ai fait parce que je t'aimais, parce que… parce que… parce que…

Je me suis arrêté dans la confusion. Je mentais. Elle avait raison. Je n'ai jamais apprécié faire l'amour avec elle. Ça me dégoûtait même un peu. J'avais toujours l'impression que je lui volais quelque chose d'irremplaçable. J'essayais seulement de me prouver quelque chose.

Pourquoi lui mentais-je maintenant ?

Elle a senti mon hésitation. Elle a grogné et s'est débattue pour que je la lâche. Elle s'est éloignée de moi, reculant jusqu'à la tête du lit.

Les larmes coulaient de nouveau sur ses joues.

— Je n'aurais jamais cru que François puisse me faire ça, a-t-elle chuchoté.

— Ce n'est pas la faute de François....

— Arrête de me prendre pour une idiote.

— Ce n'est pas la faute de François...

Elle a haussé les épaules.

— Va-t'en.

Pendant une seconde, j'ai envisagé de me défendre encore, mais à quoi bon ? Je suis parti.

10

Donum fac remissionis

François et moi sommes ensemble depuis un mois. Je suis heureux. J'apprends à avoir le bonheur discret. Ce n'est pas facile. Mais je ne crois pas avoir le choix. Si mon père, par exemple, apprenait la vérité, il m'expulserait de la maison sans me donner le loisir de m'expliquer. Il faut faire contre mauvaise fortune bon cœur.

Et puis non. Je refuse de mentir dans mon journal. Il est faux de dire que je n'ai pas le choix. On a toujours le choix. Certains chemins sont plus difficiles que d'autres, c'est vrai, mais c'est de l'hypocrisie que de prétendre qu'ils n'existent pas ou qu'ils sont barricadés.

Mes parents ont été déçus d'apprendre que Geneviève et moi étions séparés. Je n'ai pas revu Geneviève depuis le jour où je lui ai tout avoué. Je n'ai pas encore mentionné la fin de cette journée dans mon journal. Ça faisait encore trop mal.

Mais comme mes lecteurs éventuels auront besoin de tous les éléments de mon aventure pour pouvoir en juger, me voilà devant mon ordinateur, à me souvenir.

Mon altercation avec Geneviève m'avait laissé très secoué. J'ai pris le métro et je suis allé dépenser une cinquantaine de dollars en disques et en bouquins. La seule chose qui ferait plus « cliché gai » aurait été d'aller voir Liza Minnelli en spectacle. J'aime dépenser. Il y a quelque chose de délicieux à échanger des petits bouts de papier de couleur contre des objets dont on a envie. C'est très sensuel : le froissement des billets entre mes doigts, le poids des disques dans leur sac de plastique, les livres qui sentent bon l'encre. Évidemment, ce qui rend toute la transaction aussi satisfaisante, c'est que mon argent représente quelque chose, que je l'ai mérité, gagné. Chaque dollar signifie que je vis. Je n'aurais jamais autant de plaisir à dépenser une somme que j'aurais trouvée par terre.

Dans le métro, en direction de l'appartement de François, j'ai écouté le dernier disque de

David Bowie, *Outside,* sur mon Discman. Quand je suis arrivé à la chanson *Hallo Spaceboy,* j'ai éclaté de rire, nerveusement.

Do you like girls or boys
It's confusing these days
But Moondust will cover you
Cover you
This chaos is killing me

« Préfères-tu les filles ou les garçons ? C'est déconcertant de nos jours. » En effet. David Bowie a bien souvent le mot juste. C'est étrange.

D'un autre côté, il n'y a pas si longtemps, Alain s'est servi de la chanson *Be My Wife* pour demander Kim en mariage – Push-Poussez avait répété en secret pendant des jours – et maintenant ils ne se parlent plus. Je suppose qu'on peut faire dire n'importe quoi à n'importe qui. Il n'y a qu'à écouter les embiblés.

Quand j'ai sonné à la porte de l'appartement de François, j'avais simplement le goût de me laisser aller contre lui et de fermer les yeux.

C'est Alex qui a ouvert. Il avait l'air d'un juge. Il est sorti et a refermé la porte à demi.

— Je voulais te dire que je suis fier de toi.

J'ai souri.

— La chose la plus courageuse qu'un gai puisse faire, a-t-il continué, c'est de reconnaître la vérité. Se l'avouer. C'est encore plus difficile que de l'avouer à d'autres.

Je l'ai dévisagé. Il portait des pantalons noirs, amples, et une chemise vert pâle. Sa cravate mince était beige. Sur sa poitrine était épinglé le triangle rose. Ses cheveux étaient plaisamment dépeignés et ses yeux bleus ne clignaient pas. Il ressemblait à Bowie après un concert.

Je l'ai trouvé très beau. Mais jamais je ne pourrais être amoureux de lui. Et je n'arrive pas à m'imaginer le désirant.

— Je ne sais pas si je mérite tes félicitations, ai-je dit. Tout ce que je me suis avoué, c'est que je suis amoureux de François.

Il m'a décoché un regard énigmatique. Je me demande s'il a compris ce que je vis.

Solennellement, il m'a pris la main, l'a ouverte paume vers le haut et l'a refermée sur un petit objet froid. J'ai ouvert les doigts. C'était le triangle rose, bien sûr.

— Porte-le si tu te sens prêt. C'est un honneur, Serge.

J'ai hoché la tête. J'étais ému. J'ai pris l'épinglette et je l'ai déposée dans la poche de ma chemise. Alex n'a pas réagi.

— Geneviève est ici, a-t-il dit.

J'ai sursauté. J'ai voulu entrer, mais il m'a arrêté d'une main sur l'épaule.

— Elle ne va pas du tout. Laisse-la s'expliquer avec François. Ça lui fera du bien.

— J'ai le droit de participer à cette conversation. J'en ai le devoir.

C'est drôle comme les états d'esprit changent rapidement dans la vie. Tout à coup, j'aurais été prêt à utiliser la violence pour entrer. Mon ton était dur. Sans pitié. Alex a eu une grimace sardonique.

— Viens, alors, a-t-il laissé tombé.

Geneviève et François étaient dans la cuisine. François était assis à la table, au fond de la pièce, près de la porte du balcon. Geneviève se tenait debout au comptoir.

François avait le visage d'un homme qu'on frappe pour une cause qu'il croit juste. Il était parfaitement immobile. Sa peau était cireuse. Ses mains reposaient à plat sur la table. Seuls ses yeux laissaient soupçonner sa douleur, cette terrible douleur d'être la cause de la douleur d'une personne qui ne méritait pas de douleur. Seuls ses yeux m'ont dit qu'il était heureux que je sois venu.

Ce que j'aurais voulu, bien sûr, c'est me lancer dans ses bras, me rassasier d'étreintes, me gorger de « moi aussi » chuchotés, mais ça aurait achevé Geneviève. Je suis resté dans l'embrasure de la porte. Alex est allé s'asseoir en face de François.

Me voir a semblé couper le sifflet à Geneviève. Elle s'est arrêtée net au milieu d'une phrase. Personne ne bougeait. C'était comme un tableau de Magritte ou de Colville. Statique, mort, mais avec une promesse.

J'ai dit :

— Je suis désolé, Geneviève.

À mon grand étonnement, elle m'a répondu très doucement, presque avec tendresse, comme si elle continuait notre conversation de tout à l'heure :

— C'est bien gentil, mais ça me donne quoi, au juste ? Je croyais vraiment avoir trouvé, comprends-tu ? J'avais honnêtement l'impression d'avoir trouvé l'homme de ma vie. Je le sentais, je le savais. Je le savais. Si on m'avait posé la question : « Crois-tu que Serge et toi allez encore être ensemble dans cinquante ans ? », j'aurais répondu oui sans hésiter, sans hésiter une seconde, avec une certitude absolue. Du haut de mes dix-huit ans, j'aurais regardé des vieillards blasés au fond des yeux et j'aurais dit : « Voilà l'homme qui va m'accompagner jusqu'à ma mort. » Je ne suis pas une mystique, vous le savez tous les trois. Je n'aime pas l'idée de foi, pas dans son sens religieux. Mais j'avais foi en nous, Serge. C'était quelque chose d'énorme à supporter, c'était terrifiant, mais c'était grisant. J'étais fière.

Sa voix se remettait à trembloter. François ne bougeait toujours pas.

— Vois-tu ? a dit Geneviève. Comprends-tu ce que je perds ?

— Tu m'aimes peut-être plus que je le croyais, ai-je dit tristement.

— Peut-être. Tu sais, je voulais te demander pardon, moi aussi.

— Pourquoi ?

— J'ai perdu le contrôle, chez moi, tout à l'heure. Les larmes, les insultes, l'hystérie, ce n'est pas moi. Tu le sais.

J'ai hoché la tête.

— J'aurais préféré que tu ne voies pas ça, a-t-elle avoué en baissant les yeux. J'aurais préféré…

— Geneviève…

— Tais-toi. Tu t'apprêtes à mentir.

Elle s'est retournée vers François.

— J'étais venue ici avec l'intention de t'engueuler, François. Parce que tu m'as volé mon amour. Je voulais t'insulter, te cracher dessus. Je voulais te maudire.

— Ça ne se vole pas, un amour, a fait froidement remarquer Alex. Ça ne se vole pas et ça ne se transfère pas. Ça vit et ça meurt.

Geneviève a eu le rire le plus triste que j'aie jamais entendu, peut-être parce que, justement, il n'était pas triste du tout : il n'y avait là ni joie ni peine, seulement une profonde acceptation.

— Tu n'es généralement pas si poétique, Alex. Parfois, ça manque, dans tes discours. Les raisonnements ne peuvent persuader que ceux qui raisonnent. Pour le reste des endormis de l'humanité, il faut des images, des couleurs, des trompettes qui hurlent. Mais tu as raison. Un amour, ça ne se vole pas. Ça se perd. Je n'ai pas le droit d'en vouloir à François. Somme toute, il n'a vu en Serge que la même chose que moi. Ce qu'il y a de mieux. C'est pour ça qu'on devient amoureux : à cause du mieux.

J'ai rougi. Le sang battait à mes tempes. Ses mots étaient si posés, si calculés. Elle savait exactement ce qu'elle faisait. Son but était de me faire honte. Je ne méritais pas ses compliments et j'en étais conscient. Je les entendais donc comme les pires injures.

— Après tout, qu'aurais-je pu vouloir de François ? Qu'il s'empêche d'aimer ? De quel droit ? Il a fait preuve d'une dose appréciable d'abnégation. Il n'a pas avoué ses sentiments avant la toute fin. Il ne s'est pas fait insistant. Il a même tenté, pendant un moment, de croire qu'il n'était pas amoureux. Ce n'était pas nécessaire. Nous sommes de grandes personnes. Ce n'est pas parce que Serge et moi étions ensemble que nous nous aimions : c'est parce que nous nous aimions que nous étions ensemble. Je n'ai aucun droit sur Serge. Serge est libre d'aimer qui il veut. Si François vaut mieux que moi à ses yeux, Serge se doit d'être avec lui. Personne ne me doit d'amour. Je ne veux pas être aimée inconditionnellement. Aimer sans conditions, c'est pire qu'être indifférent : c'est aimer les travers, les lacunes et les défauts. Seulement…

C'était étrange. Elle nous parlait en nous ignorant. Elle nous disait tout ça d'un ton calme, monocorde, comme si elle récitait quelque chose sans grande conséquence, une fable de La Fontaine ou les résultats du sport. Pourtant, tous ses muscles étaient rigides de tension. Elle donnait l'impression d'être de granit. Elle se minéralisait à vue d'œil. Jamais je n'ai vu pareille douleur, supportée avec pareille dignité. C'était répugnant.

— Seulement, il y a deux façons de briser un contrat. La bonne et la mauvaise. Et attendre des semaines avant de parler de ses doutes, attendre en silence que les doutes deviennent des certitudes, continuer à rassurer sa partenaire en des termes sans équivoque, continuer à la baiser comme si tout allait pour le mieux, c'est la mauvaise façon. Voilà ce que je te reproche, Serge. C'est ça qui m'indigne. Ta faiblesse. Ta faiblesse morale.

— On peut tous faire des erreurs, a dit Alex avec mollesse.

— Des erreurs? Savais-tu que tu me ferais plus de mal en attendant de m'en parler, Serge? a demandé Geneviève. Savais-tu que j'aurais préféré être mise au courant immédiatement, pour déterminer si on pouvait faire quelque chose, ou pour accepter l'inévitable?

Je voulais crier: « Bien sûr! Mais j'étais confus! Je ne voulais pas… » Je ne voulais pas quoi, exactement?

Je ne voulais pas prendre de décision. Je voulais qu'on décide à ma place. Et c'est ce qui s'est passé : finalement, c'est François qui a fait les premiers pas.

— Le savais-tu ? a insisté Geneviève.

J'avais honte. J'ai fait oui de la tête, en évitant son regard.

— Alors ce n'était pas une erreur. C'était de la faiblesse morale. Nous avions un contrat, Serge, que tu l'admettes ou non. Nous étions liés par un principe de base : l'honnêteté. Tous les deux, nous avions accepté ce principe. Il n'était pas de ton devoir de m'aimer. On ne peut demander ça de personne. Mais tu me devais d'être honnête. Tu as manqué à une promesse très grave. Maintenant, présente-moi tes excuses. Au moins, tu vas t'excuser pour les bonnes raisons.

— Je suis désolé, ai-je murmuré.

Son visage n'a pas changé. Elle a ramassé son manteau.

— Jamais je n'accepterai la faiblesse. Surtout pas de l'homme que j'aime. François et toi êtes amoureux, soit. Je ne peux pas me battre contre ça. Mais il me reste mon mépris. Je le garde. Je m'y agrippe. C'est tout ce que tu me laisses.

Elle est sortie. Je me suis approché de François, en silence. Je lui ai pris la main. J'avais peur. J'avais peur qu'il me rejette, qu'il me refuse. Que le mépris de Geneviève puisse être contagieux, comme un poison qui s'infiltre par les oreilles et infecte les yeux. Après tout, je venais vraisemblablement de lui coûter une amitié vieille de plusieurs années. J'avais surtout peur que Geneviève ait fait tomber les écailles de ses yeux et qu'il me voie maintenant pour ce que je suis en réalité : un couard. Ma plus grande terreur, c'est d'avoir à accepter que mon seul droit sur François, la seule chose que j'aie vraiment à lui offrir, c'est mon besoin de lui.

Puis les doigts de mon amour se sont refermés sur les miens et y sont restés crispés jusqu'à la douleur et j'ai respiré. Cette douleur était bienvenue : elle scellait un pacte de besoin mutuel au sein duquel des concepts comme l'honnêteté et la justice ne comptaient plus.

Les ongles de François lacérant la chair de ma paume nous rapetissaient tous les deux, mais nous étions petits ensemble.

Après une minute, Alex a fait :

— Ouf.

Il s'est étiré avec langueur.

— Évidemment, parce qu'elle a tellement mal, elle néglige l'aspect le plus important de toute cette affaire.

François a regardé Alex d'un œil éteint.

— Quel aspect ? ai-je demandé.

— La dimension homosexuelle, a-t-il répondu comme si ça allait de soi. Il est clair que ton cas est beaucoup plus complexe que celui d'un straight. Tu as eu à passer outre à des centaines d'années de conditionnement culturel. C'est déjà assez miraculeux que tu t'en sois tiré avec ta santé mentale intacte. Certaines... erreurs de ta part sont nettement plus excusables. Geneviève exagère.

— Alex, tais-toi et va-t'en, a grondé François.

Quand nous avons été seuls, François s'est mis à pleurer. Mais pas moi.

Au cégep, Geneviève m'évite. J'espère qu'elle pourra être heureuse. Son groupe de copains s'est effiloché. On ne se retrouve plus au café.

C'est comme Push-Poussez. Mais je m'en fous. Je m'en fous. Je m'en fous.

○

Ce soir, Dave est passé à la maison. Il est très troublé par ce qui m'arrive. Il veut me sauver. Il est comme pris de panique. Il m'a tout resservi son boniment sur le péché et a osé me citer Lévitique **18** 22.

Pour la première fois depuis que je le connais, nous nous sommes engueulés au point que je ne veux plus le revoir pour quelques jours.

11

Dies iræ, dies illa

Sur la porte de mon casier, au cégep, quelqu'un a écrit au feutre noir les mots : « A MORT LES TAPPETTES ». Comme ça, avec deux p. Haineux et ignare en plus.

J'ai senti ma vue se brouiller. J'avais mal au cœur. J'ai regardé autour de moi. Il y avait beaucoup de monde, mais personne ne m'a rendu mon regard.

J'ai pris un mouchoir de papier, je l'ai mouillé avec de la salive (j'ai dû m'y reprendre plusieurs fois, j'avais la bouche complètement sèche) et j'ai frotté jusqu'à ce que les lettres disparaissent. Je n'ai même pas réussi, c'était une cochonnerie d'encre indélébile de bonne qualité, mais j'ai au moins pu transformer le charmant message en tache illisible.

À l'intérieur du casier, quelqu'un avait glissé une feuille de papier. Le même joyeux luron s'adressait à moi en ces termes inspirés :

« J'ESPERE QUE TU VA CREVER DU SIDA. MEME PLUS BESOIN DE SE SALIR LES MAINS, MAINTENANT LA NATURE S'OCCUPE TOUTE SEULE DES DEGENERES COMME TOI. »

Il manquait un s à « va », et manifestement cette personne ne sait pas qu'au Québec on met les accents sur les lettres majuscules. Mon admirateur secret est peut-être Européen.

J'ai l'air de prendre ça à la légère, mais en fait ça m'a salement secoué. Je n'ai pas la moindre idée de l'identité du coupable. Je ne suis pas étonné outre mesure. Ce genre d'information voyage vite. François et moi avons toujours été discrets, mais pas secrets. Je refuse le secret.

Quelle hypocrisie. Je cache systématiquement la vérité à mes parents. Pour ce qui est de refuser le secret, on repassera. D'un autre côté, si mon père venait à tout apprendre, je serais sans logis. Je n'exagère pas. Étrange amour que celui qui exige la lâcheté pour être vécu.

La réponse, bien sûr, serait de tout avouer à mes parents, à mon entourage, et d'en subir fièrement les conséquences. Le ferai-je? Bien sûr que non.

J'ai passé le reste de l'avant-midi à fixer les gens autour de moi, à la recherche d'une étincelle, d'un rictus, d'un sourcil froncé. Ma concentration avait flanché, je ne me souviens même plus des cours auxquels j'ai assisté. J'ai eu droit à beaucoup de drôles de regards. Ça ne veut rien dire. Quand on fixe quelqu'un, on doit s'attendre à être dévisagé en retour.

J'ai pensé rapporter l'incident à la direction. C'est sans doute ce qu'Alex aurait fait, immédiatement et en tonnant son indignation. Ce n'est pas mon genre. J'ai vu, dans mon esprit, les yeux du directeur. Aurait-il été neutre, étonné, irrité, triste, compatissant, discrètement dégoûté ou indifférent? Je n'ai pas eu le courage d'aller vérifier.

Je me suis assis. J'étais très fatigué. J'aurais voulu voir François, mais il était en cours pour le reste de la journée.

Je suis retourné chez moi.

Ma mère m'attendait au salon. Dave était avec elle.

Elle avait l'air rapiécée. Comme si une bombe lui avait éclaté dans la bouche et qu'elle s'était dépêchée de ramasser ses morceaux et de les recoller quand elle avait entendu ma clé dans la serrure de la porte d'entrée. Elle s'est levée. Elle s'est mise à pleurer. Elle m'a tendu les bras.

J'ai immédiatement compris que Dave lui avait tout dit. Une autre preuve que la vie n'est pas un roman. Dans un roman, la scène de la trahison du meilleur ami serait bien mieux préparée. Elle serait le point culminant d'une belle montée dramatique. Mais voilà que la scène s'amenait n'importe comment, sans le moindre contexte, au début d'un chapitre. Quelle connerie.

— Serge, a hoqueté ma mère en me serrant contre elle.

J'ai jeté un regard meurtrier à Dave. Il l'a soutenu, l'air tristement serein.

— Serge, a dit ma mère, il ne faut pas que ton père l'apprenne.

Je l'ai sauvagement repoussée. Elle a titubé vers l'arrière et ses sanglots sont devenus bruyants.

— La première chose que tu me dis, c'est « il ne faut pas que ton père l'apprenne ? » ai-je craché avec venin. Même pas « ça va te passer, tu vis une période difficile » ou « qu'est-ce que j'ai fait pour que tu finisses comme ça » – et surtout pas « Serge, je n'approuve pas mais je t'aime ». Non ! Tes premières pensées sont pour ton salaud de mari, l'écœurant de raciste dont les spermatozoïdes ont réussi à engendrer un monstre.

— Mes premières pensées sont pour toi ! a-t-elle vagi. Tu sais que je t'aime, que je ne veux que ton bien ! Et si ton père apprend que tu… que tu penses que tu es…

— Je le suis, câlisse ! Je ne le pense pas, je le suis !

— Ton père va te tuer ! a-t-elle hurlé.

Elle s'est assise et a pleuré. Dave me regardait. J'avais le goût de le frapper.

— Il ne va pas me tuer, ai-je dit calmement. Tu dramatises.

Elle s'est mouchée.

J'avais le goût de la frapper, elle aussi. Jamais auparavant je n'avais ressenti un tel désir de violence. Si j'avais eu une arme, je les aurais assassinés tous les deux.

— Peut-être, a-t-elle gargouillé, la voix étranglée. Je ne sais pas. Peut-être. Mais il est capable de te frapper. Tu le sais, Serge. Tu le sais. Et il pourrait te mettre à la porte. Et moi, je ne serais pas capable de l'en empêcher. Tu comprends ? Il faut qu'on garde le secret. Il faut que tu cesses de voir ce garçon. Il faut que tu comprennes que tu ne peux pas être… que c'est dans ta tête. C'est une façon de te rebeller. De te rebeller contre ton père.

Je me suis assis à mon tour. Dave était toujours silencieux.

— Maman, tais-toi. Tu délires. Si j'avais à me rebeller contre papa, crois-tu vraiment que je choisirais une manière aussi suicidaire ? Je pourrais me teindre les cheveux en bleu, ou me faire percer la langue. Mais non. Je suis amoureux de François…

Elle a gémi.

— Je suis amoureux de François, ai-je répété, et ça n'a rien à voir avec papa, avec toi ou avec Dave.

La bouche de Dave s'est mise à trembler.

— Serge, a-t-il murmuré.

— Ta gueule ou je te gifle.

— Si tu crois que tu dois le faire, vas-y.

J'ai cru voir son torse se bomber, comme si Dave était inconsciemment fier de souffrir pour le bon droit. Il avait l'air d'un martyr dans un tableau de la Renaissance. Dans ces tableaux, les saints donnent toujours l'impression d'être à deux doigts de l'orgasme, alors même que la foule païenne les lapide. Des masochistes avant le temps.

— Serge, je ne peux pas te laisser gâcher ta vie, a dit Dave. Je t'aime trop pour ça. Ce gars-là t'a ensorcelé, tu ne sais plus trop où tu t'en vas…

— C'est ça, dis tout de suite que je suis un imbécile.

— Écoute-moi. Tu n'es pas un imbécile. Mais tu es troublé, et ce François en profite.

Ma mère s'est penchée vers moi. Cet angle lui plaisait, elle s'est mise à battre le fer.

— C'est ça, Serge. Tu en es train de te faire manipuler. J'ai déjà lu là-dessus ; quand un jeune vit une situation familiale difficile, il est souvent beaucoup plus vulnérable à ce genre de choses... Tu as besoin de tendresse, d'attention, et ce jeune homme est prêt à t'en donner, alors toi, évidemment, tu...

Je ne les ai pas laissés aller plus loin.

— Mais bon sang, je pense que je suis assez grand pour savoir si je suis vraiment amoureux ! Vous divaguez complètement. Maman, si ce n'était qu'une question de besoin de tendresse, j'aurais simplement pu rester avec Geneviève. Elle ne demande que ça, me donner de la tendresse ! Elle a failli faire une dépression parce qu'elle ne pouvait pas me donner de tendresse. Mais merde, sa tendresse à elle, je n'en veux pas. Je veux celle de François. Est-ce que ça fait de moi un gai ? Je ne le sais pas ! Je ne le sais pas ! Je ne le sais pas.

— Serge, réfléchis un peu, a dit Dave. Est-ce que tu veux vraiment vivre ta vie comme ça ? À te cacher, à ne pas parler, à avoir peur ? Tu veux vivre comme ça, tout le temps, toute ta vie ? Tu vas peut-être croire que tu es heureux, parfois, quelques rares moments... mais toujours, au fond de toi, il va y avoir un drôle de sentiment de dégoût, un sentiment impossible à ignorer ou à faire disparaître. Ta conscience va t'empêcher d'être heureux, Serge, parce qu'au fond tu sais que ce que tu fais est mal et contre nature. C'est ce qui t'attend. Si tu persistes dans ta folie, ça va être ton destin. Des gais bien dans leur peau, ça n'existe pas. Est-ce que tu réalises dans quoi tu t'embarques ? Est-ce que tu sais ce que les gens pensent des gens comme – des homosexuels ? Est-ce que tu as une idée du dégoût que l'homosexualité inspire aux gens normaux ?

J'ai vu rouge.

— Tu es un beau salaud, Dave Herbert, ai-je sifflé entre mes dents en fouillant dans mon sac d'école.

J'en ai sorti le message qu'on avait laissé dans mon casier ce matin. Je le lui ai lancé au visage. Il ne l'a pas reçu au visage, bien sûr ; quand on lance une feuille de papier, elle se plante immédiatement par terre, un autre cliché romanesque débouté. Dave s'est penché et l'a ramassée, pendant que je criais :

— Maudit hypocrite, Dave Herbert ! Si je suis obligé de vivre dans la peur, c'est à cause de toi !

— Moi ?

— Ne fais pas l'innocent ! C'est l'attitude des gens comme toi qui fait que les gais ont toujours peur, qu'ils n'osent pas respirer en dehors des murs de leur appartement ! Ce sont tes copains qui m'ont écrit ça ! C'est toi !

Dave a lu le message. Il m'a regardé en secouant la tête.

— Serge… je suis tellement désolé… Je… Mais c'est bien ce que je disais, non ? C'est déjà commencé. Je suis désolé, Serge. Les gens sont méchants.

— C'est toi qui es méchant! ai-je rétorqué. C'est toi, tu ne le vois pas? Tu hais les gais autant que celui qui a écrit ça. Mais toi, tu fais semblant de les aimer et de vouloir seulement leur faire voir leurs erreurs. Mais les gais ne croient pas qu'ils font erreur. Tu me parles de conscience. Ta conscience à toi, elle ne te fait pas souffrir, quand tu passes des jugements sans appel à propos de milliers de gens que tu ne connais pas mais que tu condamnes parce qu'ils aiment quelqu'un du mauvais sexe? Si tu rencontres un saint, Dave, quelqu'un qui se dévoue pour les autres, qui travaille fort, qui donne de son temps et de son argent à des organismes de charité, un vrai bon gars, quoi, et que tu apprends ensuite qu'il est gai, pourquoi est-ce que ça fait de lui une moins bonne personne? Tu sais ce qu'ils font, les gais, pour être gais? Ils aiment. C'est tout. C'est ça, leur faute? Je suis amoureux de François. Je l'aime. Je veux passer ma vie avec lui. Je fais mal à qui, merde? Mon père va me mettre à la porte parce que je suis amoureux? Ça te semble juste, ça? Tes valeurs sont complètement détraquées. Tu es suffisant et prétentieux, Dave. Tu te prends pour qui? Tu fais semblant de venir à mon secours, mais tu ne fais que te prouver ta propre bonté, selon *ton* échelle de valeurs, et tu me fais me sentir coupable de ce que j'ai de plus précieux.

C'est dégueulasse. Tu te conduis envers les gais exactement de la même façon que Couture se conduit envers les Noirs.

— Serge ! s'est-il exclamé, choqué. Ce n'est pas la même chose.

— Tant que tu ne verras pas que c'est précisément la même chose, je ne veux même plus te parler.

Ma mère pleurait toujours. Tout le monde pleure autour de moi, depuis quelques mois. C'est épuisant.

Dave a soupiré. Sa voix prenait un ton de plus en plus pressant.

— Serge, je ne peux pas faire autrement. Tu es en train de commettre une erreur épouvantable. C'est ton âme qui est en jeu. Tu ne te rends pas compte. C'est du salut de ton âme éternelle qu'il s'agit. Il faut que j'essaie de te sauver.

— Je ne veux pas que tu me sauves, sacrament ! ai-je rugi. Va-t'en ! Va-t'en, je ne veux plus te voir. Si tu reviens sur terre, téléphone-moi. Mais tant que tu vivras sur la planète Bible, fous-moi la paix.

Je me suis levé et je suis retourné à la porte d'entrée, que j'ai ouverte. Après un petit moment où il a regardé ma mère sans rien dire, Dave est venu me rejoindre. Je n'ai rien dit non plus.

— Je suis désolé que ça se termine comme ça, a dit Dave.

Et il a éclaté en sanglots. Si jamais on fait un film de ma vie, il faudra couper dans les scènes de braillage. Ça ne fait pas très sérieux.

— Moi aussi, ai-je dit. Au revoir.

À travers ses larmes, il a balbutié :

— Tu es le meilleur ami que j'aie jamais eu. Je serai toujours là si tu as besoin de moi... même si tu penses que je t'abandonne. Je vais prier pour toi.

J'ai mis mes mains sur ses épaules.

— Dave, est-ce que tu peux seulement comprendre à quel point c'est insultant, ce que tu me dis là ? Je ne veux pas que tu pries pour moi. Je n'ai rien à me reprocher, tu n'as pas à intercéder pour moi auprès d'une divinité en laquelle je ne crois même pas. Dave, je t'interdis de prier pour moi. Si tu es vraiment mon ami, tu vas comprendre ça. Je t'en supplie. Ne prie pas pour moi.

Il m'a regardé et j'ai vu, au fond de ses yeux ruisselants, qu'il ne comprenait pas du tout. J'ai vu une grande amitié disparaître. Il est parti. Je suis retourné près de ma mère. Je l'ai prise dans mes bras et j'ai murmuré à son oreille :

— Je m'en vais chez mon amoureux. Ne le dis pas à papa. Je suis toujours ton fils, mais je m'en vais chez mon amoureux.

Et ce soir, François et moi on a fait l'amour.

Prêts actuels pour Graton, Mélissa
Thu May 03 17:51:27 EDT 2012

CODE-BARRES: 32777029795445
TITRE: Ne le dis à personne-- / Harlan C
RETOUR / STATUT: 2012 MAI 24

CODE-BARRES: 32777042747001
TITRE: L'héritage. 1, Eragon / Christoph
RETOUR / STATUT: 2012 MAI 24

CODE-BARRES: 32777022455500
TITRE: Requiem gai : roman / Vincent Lau
RETOUR / STATUT: 2012 MAI 24

12

Solvet saeclum in favilla

Aujourd'hui, dimanche, Alex est à l'hôpital.

Pas facile à vivre, l'homosexualité. D'un côté, il y a la peur. La peur d'être un monstre, la peur d'être anormal. La peur que le secret soit découvert par la mauvaise personne, la peur de décevoir, la peur d'être mis à la porte de la maison. La peur de ne plus jamais revoir sa famille et ses proches. La peur de perdre son emploi, la peur de ne jamais en décrocher un. La peur d'être pris à jamais dans un ghetto géographique et culturel, la peur de ne jamais pouvoir y avoir accès. La peur du sexe. La peur du sang. La peur du sida. La peur d'être humilié par des étrangers, la peur d'être humilié par des gens qu'on connaît. La peur de la violence.

Alex est à l'hôpital, tout le côté droit du visage paralysé.

De l'autre côté, il y a l'amour. Un chum, un conjoint, un mari. Un homme qu'on aime et qui nous aime. Hier, j'aurais dit que l'amour justifiait mille fois toutes les peurs, mais je n'en suis plus si sûr, parce qu'Alex est à l'hôpital.

Hier soir, samedi, vers vingt-trois heures trente, alors qu'il se promenait sur le Mont-Royal, Alex a été attaqué par trois hommes dans la vingtaine, manifestement ivres. C'est pour ça qu'il est à l'hôpital, et c'est pour ça qu'il tremble au moindre coup de vent.

C'est François qui m'a téléphoné, vers minuit et demi.

— Habille-toi, je passe te chercher. Alex s'est fait attaquer.

— Quoi ?

Je n'étais pas réveillé. Mes cheveux s'en allaient dans toutes les directions. J'aurais juré que je rêvais cette conversation.

— Alex. S'est fait attaquer il. Est à l'hôpital.

— Alex ?

— Réveille, merde ! C'est grave. Je suis chez toi dans quinze minutes. Sois prêt, grouille.

— Je…

Il a raccroché, et le clic de la communication coupée m'a finalement réveillé. Je me suis précipité vers mes vêtements. Pendant que j'enfilais mes pantalons, les mains pataudes et maladroites, ma mère a frappé à la porte et est entrée dans ma chambre. Je lui ai expliqué ce qui se passait, n'importe comment. Elle a pâli. J'avais peur. Ma gorge faisait mal. François m'avait donné juste assez d'informations pour me remplir de panique. Est-ce que je m'énervais pour rien? Qu'est-ce que ça veut dire, se faire attaquer? Se faire voler son portefeuille sous la menace d'un couteau? Se faire frapper à coups de poing, de pied, de bouteille cassée, de bâton de baseball? Se faire violer? Se faire tirer dessus?

Mes parents m'ont regardé partir, en tenant leur robe de chambre serrée dans le cou. Ma mère m'a demandé de téléphoner.

Dans l'auto, François n'a guère été plus bavard. Il fixait son regard droit devant lui et conduisait trop vite.

— Je ne sais pas, a-t-il dit, c'est l'hôpital qui a téléphoné, Alex leur a donné mon nom, ils m'ont dit que c'était grave mais qu'il n'était pas en danger de mort. Ils m'ont dit qu'Alex était en état de choc. Ils m'ont dit qu'il s'était fait attaquer, qu'il fallait que je m'attende à un choc. Je ne sais pas.

Quand nous sommes entrés dans la chambre, Alex était sous somnifère. Un sac de plastique rempli de sang gouttait jusque dans son bras, par un mince tube transparent. Alex était couché sur le côté gauche. Son dos était couvert de larges pansements qui s'imbibaient de sang, on pouvait le voir parce que ces cochonneries de robes d'hôpital ne ferment jamais comme il faut dans le dos. Un autre pansement, lui aussi un peu maculé de sang, lui enserrait le front et couvrait complètement son oreille droite. Un plus petit pansement carré était collé sur son œil droit, avec des petits bouts de sparadrap.

L'infirmière nous a dit qu'il avait été poignardé quatre fois dans le dos, que les blessures étaient profondes mais pas irréparables, et que la colonne vertébrale n'avait pas été touchée. La blessure au visage est le résultat d'un coup de hache. Ils lui ont recollé un bout d'oreille en vitesse, mais ils ne sont pas sûrs de pouvoir resouder tous les nerfs, alors il pourrait demeurer paralysé de tout un côté du visage.

Quelqu'un lui a envoyé un coup de hache – un coup de *hache* – sur le côté de la tête.

François s'est approché de lui, tout doucement, sans faire de bruit, sans déplacer d'air. Il a pris la main inerte d'Alex dans la sienne. L'infirmière est revenue et nous a demandé si nous étions de la famille. J'ai répondu que nous étions des amis.

— Connaissez-vous ses parents ? Il faudrait bien communiquer avec eux, mais il n'a voulu nous donner que votre numéro, monsieur, et ses papiers ne contiennent rien d'utile.

— Je n'ai jamais vu ses parents, ai-je dit. Il demeure dans un appartement.

— Il va se réveiller quand ? a demandé François.

— Dans quelques heures. Physiquement, les dommages ont l'air bien pires qu'ils ne le sont en réalité. Il a perdu beaucoup de sang mais il n'est plus en danger. C'est psychologiquement que ça risque d'être plus difficile.

François a sursauté.

— Je crois que je voudrais attendre qu'il me demande lui-même d'appeler ses parents.

— Vous êtes sûr ? Il ne serait pas plus...

— Je crois, a répété François en haussant le ton, que je voudrais attendre qu'il me demande lui-même d'appeler ses parents.

L'infirmière a dû voir que ce n'était pas le moment d'emmerder François, parce qu'elle n'a pas insisté.

— On peut attendre ici qu'il se réveille ? ai-je demandé.

L'infirmière a penché la tête en souriant un peu, le genre de sourire qui fait du bien quand on a mal.

— Normalement, non, mais il est seul dans cette chambre, alors si vous ne faites pas de bruit, je peux oublier que vous êtes là.

Je l'ai remerciée et elle est sortie. J'ai pris une chaise et je l'ai glissée derrière les genoux de François. Il s'est assis, sans lâcher la main d'Alex. Je me suis penché vers mon amour et je l'ai serré aux épaules, de toutes mes forces. J'ai eu envie de l'embrasser, par dépit, par révolte. Je me suis retenu. Je me suis aussi retenu, juste à temps, de débiter une platitude du genre « ça va aller ». Comme je n'avais rien de plus littéraire à dire en lieu et place, je suis resté silencieux.

— Tu m'aimes ? a dit François.

— Oui.

— Il le faut bien, parce que n'importe quand, ça pourrait être notre tour.

Silence.

— Ça doit faire mal en tabarnaque, un coup de hache, a fait remarquer François.

Puis on a attendu.

Vers sept heures, le sommeil d'Alex est devenu agité. Il tremblait et gémissait. Ses traits se plissaient comme s'il avait peur. C'était singulier : on pouvait vraiment remarquer que la moitié droite de son visage ne bougeait plus normalement et semblait gelée. J'ai appelé l'infirmière.

— Ça va, a-t-elle dit en ajustant ceci et en vérifiant cela. Il est sur le point de se réveiller, alors il rêve.

J'ai déposé ma tête sur l'épaule de François. Il me caressait doucement les cheveux. C'était agréable.

— Ça ne nous arrivera pas, ai-je murmuré.

— Comment peux-tu en être certain ? C'est arrivé à Alex.

— Ça ne nous arrivera pas. Et puis, ça n'a peut-être rien à voir avec son homosexualité. Des tas de gens se font attaquer tous les jours pour des tas de raisons qui n'ont rien à voir avec l'homosexualité.

Je suis allé près de la garde-robe du fond et je l'ai ouverte. Les pantalons d'Alex y étaient accrochés. Ils étaient sales, tachés d'herbe, de terre et de sang. Ses souliers beiges avaient été déposés au fond ; le cuir en était sale et râpé.

— Tu vois, ai-je dit en pointant les vêtements de la main. Alex portait des trucs visiblement très onéreux. Il avait l'air riche. C'est peut-être pour ça qu'il s'est fait sauter dessus.

François n'avait pas l'air convaincu.

— Je me demande où est sa chemise, a-t-il laissé tomber.

— Je ne sais pas. Elle n'était sûrement plus en très bon état. J'ai lu quelque part que les infirmières découpent aux ciseaux les vêtements des blessés. Ça va plus vite.

J'ai refermé la porte de la garde-robe.

— Enfin, bon, tout ce que je dis, c'est qu'on n'a pas à sauter immédiatement à la conclusion qu'Alex est ici parce qu'il est gai. Qu'est-ce qu'on peut être paranoïaques, nous les gais. On s'imagine toujours que tout tourne autour de ça. C'est ridicule.

J'étais vaguement en colère, sans savoir pourquoi.

— Il s'est fait attaquer sur le Mont-Royal, a dit François comme si ça voulait dire quelque chose. Un samedi soir.

— Justement, ai-je répliqué. Sur le Mont-Royal un samedi soir. Tout seul. Ce n'est pas très bien éclairé partout, le Mont-Royal. Qu'est-ce qu'il foutait là, au juste?

François m'a souri avec indulgence.

— Tu me fais rire, a-t-il dit. Tu dis des choses comme « nous les gais », mais tu ne connais presque rien de la vie gaie. Tu as été précipité dans un univers qui t'est presque inconnu. Tu n'es plus chez toi nulle part. Tu n'es plus hétéro, mais tu n'es pas encore complètement gai.

Il m'a tendu la main.

— Et tu l'as fait pour moi. C'est pour moi que tu risques tout. Serge.

On s'est embrassés. Il y avait quelque chose d'horriblement déplacé à ce que ses lèvres touchent les miennes d'une façon aussi tendre à côté d'un homme inconscient et ensanglanté. Et en même temps, le tableau me semblait grave et beau, comme une photo de champ de bataille.

Il y a eu un bruit de pas dans le corridor. François et moi nous sommes éloignés l'un de l'autre d'une saccade, comme sous l'impulsion d'une décharge électrique. J'ai même essuyé ma bouche du revers de la main.

— J'apprends vite, ai-je dit tristement.

Nous nous regardions sans nous toucher.

— Pauvre Serge, a fait François. Que tu le veuilles ou non, on n'est pas homosexuel impunément, au Québec. D'accord, c'est beaucoup moins pire qu'en des tas d'endroits – tu peux imaginer être gai en Iran ? Mais ce n'est pas évident. Ce n'est pas du tout évident. Quand une majorité fait chier une minorité, que ce soit délibéré ou non, qu'est-ce qui se passe ? Neuf fois sur dix, la minorité s'organise. Elle se rapproche, elle crée des liens. Pour se défendre, tu vois. Il existe une communauté gaie, tu sais, Serge. Une communauté, un monde, une culture. Tu peux penser que ton homosexualité n'est qu'une caractéristique parmi tant d'autres, ni plus ni moins importante que la taille de tes pieds, mais ce n'est pas vrai. Pas ici, pas encore à cette époque. Dans vingt ans, peut-être. Je sais bien que c'est ce que tu crois, ce que tu voudrais que tout le monde croie, mais non. Pour le moment, ton homosexualité est ce qui te définit, tu comprends ? Avant d'être quoi que ce soit, tu es gai. Et tu fais donc partie du monde gai. Ce qui nous amène au Mont-Royal.

J'ai dû avoir l'air complètement perdu parce que son sourire s'est élargi, sans pour autant avoir l'air plus joyeux.

— Le Mont-Royal, m'a-t-il expliqué, les vendredis et samedis soirs d'été, c'est un des meilleurs endroits pour aller flirter. Pour la communauté gaie, je veux dire. Moi-même, je m'y suis rendu quelques fois. C'est joli, c'est plein de racoins et on peut se bécoter relativement seuls et en paix.

— Mais c'est complètement débile, ai-je protesté malgré moi. Le Mont-Royal, le soir, c'est dangereux. Tout le monde sait ça. Se promener dans un coin comme ça, surtout pour se... bécoter... c'est fou. C'est dangereux. C'est un peu faire exprès. Comment peut-on s'étonner qu'on se fasse attaquer si on se balade à onze heures du soir sur le Mont-Royal ? C'est parfaitement inconscient.

Par une coïncidence bizarroïde, Alex s'est mis à gémir au moment où je prononçais le mot « inconscient ». Nous nous sommes tus. Nous avons regardé Alex.

François s'est mis à parler très vite, très doucement, entre ses dents, sans quitter Alex des yeux.

— Les gais se rencontrent sur le Mont-Royal parce qu'ils ne peuvent le faire ailleurs. Les gais n'ont pas le droit de flirter à l'école, au travail, dans la rue. Quand un homme s'approche d'une femme, lui fait des avances et que la femme n'est pas intéressée, elle le lui dit, et vice versa et c'est tout. Mais si un gai s'approche d'un autre gai pour flirter, ils attirent tellement l'attention que le moment devient sordide. Et si par malheur l'objet des avances n'est pas homosexuel, au lieu d'un simple « Non merci, vous faites erreur », on risque un coup de poing dans la figure. Ou une hache sur le côté de la tête. Les gais se rencontrent sur le Mont-Royal et dans les bars gais et dans les clubs gais parce qu'ils n'ont pas encore le droit de le faire dans la vraie vie. La communauté gaie est obligée de se créer un univers alternatif. Ce n'est *pas* la faute d'Alex s'il est couché sur le côté à recevoir du sang à travers un tube.

Alex s'est réveillé. Il avait mal partout. Quand il nous a vus, il a pleuré un peu. François et moi nous sommes assis tout près de lui. François lui a bien demandé de ne pas parler, de conserver ses forces, mais autant demander à Alex de cesser de respirer. L'infirmière est venue, elle a changé ses pansements, elle lui a apporté un déjeuner. Cet après-midi, il va avoir le premier de ce qui – je le soupçonne – devrait être une très longue série de rendez-vous avec une psychiatre. Nous avons partagé les toasts, et j'ai aidé Alex à avaler quelques bouchées de gruau. Il ne pouvait pas le faire lui-même. On ne remarque pas à quel point tous nos muscles sont reliés, mais quand Alex tentait de replier son bras pour amener la cuillère à sa bouche, ça tendait la peau de son dos et il devenait tout blanc. Alors je l'ai fait manger comme un enfant. Puis Alex nous a tout raconté, avec tellement de détails que j'en ai eu mal au cœur. Il se promenait. Trois hommes se sont approchés, lui ont demandé du feu. Alex ne fume pas. Il se retourne, il entend un drôle de commentaire à propos des « crisses de tapettes ». Alex se met à marcher plus vite, il entend des pas qui accélèrent derrière lui. Il se retourne. Deux des trois hommes ont un couteau dans une main. Le troisième, Dieu du ciel, a une hache. Une hache. Une petite hache de camping, avec un manche en caoutchouc. Les trois hommes ont l'air saouls ou drogués. Ils ont l'air haineux. Les crisses de tapettes, on va toutes les tuer. Alex se met à courir. Il ressent une horrible douleur dans le dos. Il court. Un choc terrible sur le côté de la tête. Il tombe et roule par terre, mais il se relève et continue à courir. Il ne sent pas vraiment la douleur, mais il se souvient du goût du sang qui coule tout le long de son visage jusque dans sa bouche. La mémoire est bizarre. Il court. Il ne pense qu'à une chose : il doit courir vers le bas de la montagne, pas vers le haut. Il court. Ses assaillants ne l'ont pas suivi, il court tout seul depuis dix minutes. Il débouche tout à coup sur une rue. Un feu rouge. Une auto. Il tombe à genoux et frappe à la fenêtre, en laissant des traces de sang sur la vitre. Il s'est probablement passé les mains sur le visage. Un visage à la fenêtre. La femme le fixe, elle a l'air terrifiée. Le feu passe au vert et l'auto démarre. Puis un taxi s'arrête et un homme le prend sous les épaules. Le taxi l'amène à l'hôpital. Il faudrait bien retrouver le chauffeur, le remercier.

Je ne peux pas le raconter avec la voix d'Alex. Je ne peux pas le raconter avec ses mots. J'ai raccourci l'histoire, Alex a parlé longtemps. Quand il a eu fini, l'infirmière est entrée. Il lui a donné le numéro de téléphone de ses parents. Puis elle lui a administré un somnifère et nous sommes partis.

Je ne sais même plus écrire. Je n'arrive pas à écrire de jolies phrases, mon vocabulaire semble avoir disparu et je n'arrête pas de me répéter. Le passage où je décris Alex dans son lit d'hôpital est tellement mal écrit que j'en ai honte.

D'ailleurs, je relis les derniers mois de mon journal et le découragement me gagne. Si je veux jamais publier ces textes, un travail énorme m'attend. Rien ne se suit comme il faut. Le rythme est déficient. Qu'est-ce qui a guidé mes choix ? Pourquoi ai-je décidé d'inclure tel élément et d'omettre tel autre ? Je m'étends pendant des pages à relater avec minutie d'arides débats moraux, et je me débarrasse du plus beau moment de ma vie avec la seule phrase : « Et ce soir, François et moi on a fait l'amour. » Tout le monde parle, et personne *n'agit*. Je présente des personnages en détail pour ensuite les abandonner comme s'ils n'avaient jamais existé. Qu'ai-je écrit de Sophie, de Clara, de Jean-Marie depuis notre première rencontre ? Des bribes. Un lecteur serait en droit de ressentir une certaine frustration. Mon public ne connaîtra même pas toute la vérité, puisque j'ai menti ici et là, contrairement à ce que j'avais promis. Ce texte est une fraude.

Même mes premières pages, pourtant si travaillées, sont ignobles. Leur style est tellement snob, tellement prétentieux, on dirait qu'elles ont été rédigées par un de ces insupportables imposteurs parisiens dont la prose si dense tombe comme une roche au fond de l'âme. Je ne serai jamais écrivain.

Je ne sais plus du tout où j'en suis.

J'ai marché avec François. En marchant jusqu'à l'auto, j'ai voulu lui prendre la main. Évidemment, il ne m'a pas laissé faire. Alors je me suis mis à courir. Quand, à l'arrêt d'autobus, il m'a demandé de revenir avec lui, je n'ai rien dit. Je ne l'ai même pas regardé. Il a voulu me tirer en direction de l'auto et je l'ai poussé. Il a vacillé, a retrouvé son équilibre. Je ne sais pas s'il était fâché ou triste. Je regardais le sol.

Je suis retourné chez moi en autobus. Je n'ai rien dit à mes parents et je me suis enfermé dans ma chambre. Je ne sais plus où je veux vivre. Ici. Dans le vrai monde. Dans la communauté. Je ne sais plus.

J'aime François. Je me demande si je l'ai perdu aujourd'hui ? Et pourquoi, précisément ?

ÉPILOGUE

Dona me requiem aeternam

Mon père est entré dans ma chambre, l'air ahuri.

Il s'est assis à côté de moi, sur le bord du lit. Il était pâle.

— Ce n'est pas vrai, Serge?

Sa voix donnait l'impression qu'il était triste, perplexe, incrédule, et pour être honnête, il était sûrement tout cela. Mais je savais très bien qu'il était aussi à un mot de se transformer en bête violente. Pour le moment, toutefois, il sonnait comme un enfant apeuré.

Je me suis relevé à moitié, je me suis adossé contre la tête du lit. Mes yeux étaient écœurants d'innocence.

— Ce n'est pas vrai ? Pas toi ? Tu n'es pas une tapette, Serge ?

J'ai vu Alex et le coup de hache. J'ai vu la main de François qui refusait de toucher la mienne. J'ai vu les réactions vraies et imaginaires des autres clients du restaurant vietnamien. J'ai vu le message dans mon casier. J'ai vu mon meilleur ami qui me repoussait à grands coups de Bible. J'ai vu les larmes de Geneviève et les yeux de mon père. J'ai vu tout un univers qui allait me faire chier pendant toute une vie.

Sur l'autre plateau de la balance, il y avait François.

Je vais jeter mon triangle rose aux ordures.

Je vais téléphoner à Geneviève. Et si elle ne veut plus de moi, il y a bien d'autres filles sur la planète.

— Non, papa. Je ne suis pas homosexuel. Je ne suis pas homosexuel. Je ne suis pas homosexuel.

Note de l'auteur

Soyez plus courageux que Serge.

Je n'ai pas inventé l'incident de la hache.

Les citations bibliques sont toutes tirées de la Bible de Jérusalem, édition 1979.

Vincent Lauzon
Laval, février 1998

Table des matières

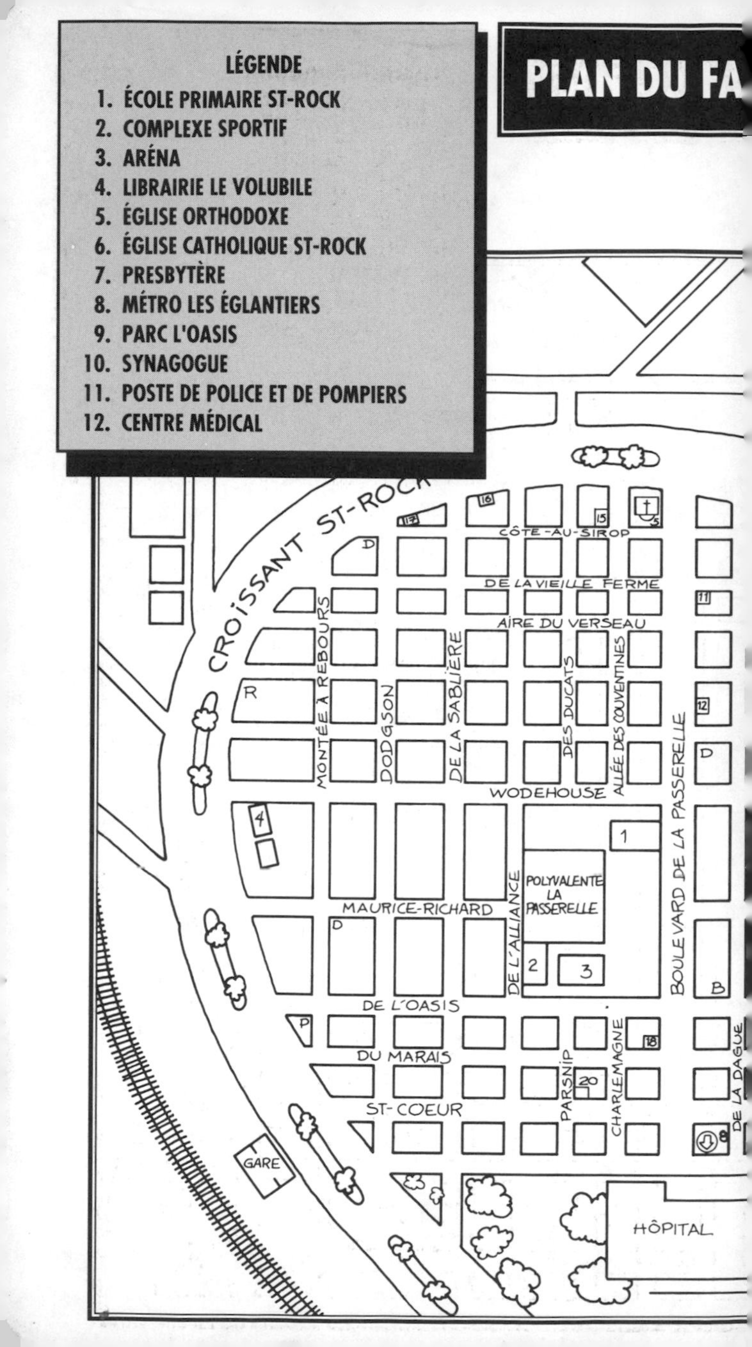
PLAN DU FA
LÉGENDE
1. ÉCOLE PRIMAIRE ST-ROCK
2. COMPLEXE SPORTIF
3. ARÉNA
4. LIBRAIRIE LE VOLUBILE
5. ÉGLISE ORTHODOXE
6. ÉGLISE CATHOLIQUE ST-ROCK
7. PRESBYTÈRE
8. MÉTRO LES ÉGLANTIERS
9. PARC L'OASIS
10. SYNAGOGUE
11. POSTE DE POLICE ET DE POMPIERS
12. CENTRE MÉDICAL
CROISSANT ST-ROCK
CÔTE-AU-SIROP
DE LA VIEILLE FERME
AIRE DU VERSEAU
MONTÉE À REBOURS
DODGSON
DE LA SABLIÈRE
DES DUCATS
ALLÉE DES COUVENTINES
WODEHOUSE
BOULEVARD DE LA PASSERELLE
POLYVALENTE LA PASSERELLE
MAURICE-RICHARD
DE L'ALLIANCE
DE L'OASIS
DU MARAIS
PARSNIP
CHARLEMAGNE
ST-COEUR
DE LA DAGUE
GARE
HÔPITAL

RG ST-ROCK
13. CENTRE COMMERCIAL LES GALERIES ST-ROCK
14. L'ARC-EN-CIEL (RESTAURANT)
15. VIEUX COUVENT
16. SUR LE POUCE (RESTAURANT)
17. QUINCAILLERIE LADOUCEUR
18. CHEZ FIMO (RESTAURANT)
19. L'ABRI
20. VILLA TOURNESOL
21. VILLA ROCHE DE ST-CŒUR
R : restaurant
P : pharmacie
D : dépanneur
B : boulangerie
CROISSANT ST-ROCK
ES PLAINES
EMEMBRANCE
R
MONTÉE DES ÉRABLES
NORD
UILLAUME TELL
9
13
B
TANGUERAY
DU RUISSEAU
DES ARTISANS
DE LA FUTAIE
PROVIDENCE
CHEMIN DE LA FALAISE
CÔTE-AUX-BOULETS
HERRIMAN
ES ÉGLANTIERS
14
19
10
RUE DES SOUPIRS
P
B

AVEZ-VOUS QUELQUES MINUTES ?

Lectrices, lecteurs, vous nous rendriez service en répondant à ces questions :

1. À quel personnage vous identifiez-vous le plus dans *Requiem gai* ? Et pourquoi ?
2. Quelle est votre position dans le débat sur l'homosexualité ?
3. Avez-vous des commentaires à exprimer sur la collection Faubourg St-Rock ?
4. Nous avons déjà lancé deux concours de nouvelles et permis à quatre auteures de seize ans d'être publiées dans nos recueils. *Nouvelles du Faubourg* n'imposait pas de thème. Par contre, les histoires de *Ça fête au Faubourg* devaient se rapporter à une célébration. Pour le troisième concours, quel thème vous semblerait le plus intéressant ?

   - Suspense et mystère
   - Grandeur et misère des jobs d'été
   - L'AMOUR en lettres majuscules
   - Un(e) invité(e) au faubourg
   - Sport-à-tout
   - Autre (spécifiez)

L'adresse : Vincent Lauzon
Faubourg St-Rock
Éditions Pierre Tisseyre
5757, rue Cypihot
Saint-Laurent (Québec)
H4S 1R3

Un grand merci !

COLLECTION FAUBOURG ST-ROCK

directrice: Marie-Andrée Clermont

1. **L'engrenage,** de Marie-Andrée Clermont, 1991.
2. **L'envers de la vie,** de Susanne Julien, 1991.
3. **Symphonie rock'n'roll,** de Vincent Lauzon, 1991.
4. **Le cœur à l'envers,** de Susanne Julien, 1992.
5. **Roche de St-Cœur,** de Marie-Andrée Clermont, 1992.
6. **Concerto en noir et blanc,** de Vincent Lauzon, 1992.
7. **La vie au Max,** de Susanne Julien, 1993.
8. **La rumeur,** de Danièle Desrosiers, 1993.
9. **Double foyer,** de Marie-Andrée Clermont, 1993.
10. **C'est permis de rêver,** de Susanne Julien, 1994.
11. **Sonate pour un ange,** de Vincent Lauzon, 1994.
12. **La faim du monde,** de Robert Soulières, 1994.
13. **D'amour et d'eau trouble,** de Marie-Andrée Clermont, 1994.
14. **Nouvelles du Faubourg,** recueil de nouvelles, 1995.
15. **Les rendez-vous manqués,** de Susanne Julien, 1995.
16. **Pas de vacances pour l'amour,** de Danièle Desrosiers, 1995.
17. **La marque rouge,** de Marie-Andrée Clermont, 1995.
18. **Le roman de Cassandre,** de Danièle Desrosiers, 1996.
19. **État d'alerte,** de Michel Lavoie, 1996.
20. **La gitane,** de Marie-Andrée Clermont, 1996.
21. **Des mots et des poussières,** de Susanne Julien, 1997.
22. **Le bal des finissants,** de Danièle Desrosiers, 1997.
23. **Ça fête au Faubourg,** recueil de nouvelles, 1997.
24. **Une place à prendre,** de Dominique Giroux, 1998.
25. **Requiem gai,** de Vincent Lauzon, 1998.

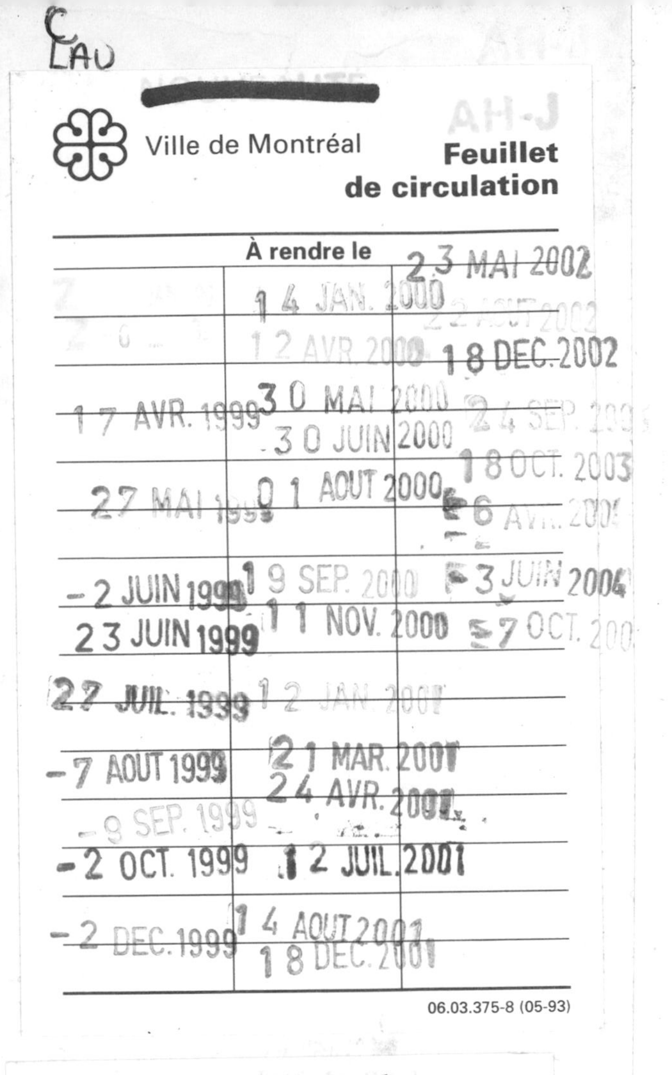
Ville de Montréal
Feuillet de circulation
À rendre le
06.03.375-8 (05-93)